Yvonne Garner 86

LE SANG DES AUTRES

Du même auteur :

DEMAIN TU VERRAS : 1978, 1981

UN AMOUR ÉTERNEL : 1980

CHÉRIE : 1981

NATHALIE : 1982

Pour renseignements sur ces livres, voir les pages de la fin.

andré mathieu

LE SANG DES AUTRES

roman

Éditions André Mathieu

Dépôt légal : Bibliothèque nationale du Québec
Dépôt légal : Bibliothèque nationale du Canada
1er trimestre 1982
ISBN : 2-89196-003-3

Mais ne ressemblons pas à ces rois d'Assyrie
Qui traînaient au tombeau femmes, enfants, patrie,
Et ne savaient pas mourir seuls !
Et, livrant leur empire et leurs dieux à la flamme,
Auraient voulu qu'aussi l'univers n'eût qu'une âme,
Pour que tout mourût avec eux !

LAMARTINE

Rosemère, le 24 décembre

Elle s'arrêta quelques secondes après avoir appuyé sur le bouton de la sonnerie. Sa main dégantée fureta machinalement, trouva l'acier glacé, sursauta. Le coeur de Mélanie s'accéléra. D'invisibles paupières s'abattirent sur ses yeux vifs. Ses yeux: deux étincelantes petites étoiles turquoise.

Dans son esprit surgit l'éternelle question des gens des quartiers moins favorisés quand ils grimpent les côtes:

— Qu'est-ce que je viens faire ici?

Puis elle se remémora par le détail l'intérieur de l'imposante demeure où on l'avait invitée à réveillonner. Les heures à venir défilèrent devant elle à une allure vertigineuse, dans une succession d'images que seulement les yeux de l'âme peuvent arriver à capter et à ordonner dans une logique acceptable.

La domestique lui ouvrirait la porte... L'inviterait à déposer ses vêtements dans un vaste placard chargé de manteaux de toutes les fourrures à la mode et luxueuses... Puis, la ferait passer au salon de la réception.

Dans le vestibule, Mélanie jetterait un furtif coup d'oeil à l'énorme lustre suspendu, lourd de centaines d'éclatants glands de verre poli. Ensuite, sous une myriade d'étincelles, elle frôlerait le majestueux escalier tournant du plus pur style victorien. Malgré l'épais tapis feutrant ses pas, elle retiendrait ses jambes alertes, mues par les audacieux muscles de l'adolescence car, dans le salon de la fête, il y avait au plancher une tuile céramique d'une sonorité gênante sous des pieds le moindrement indiscrets. En dépit de son habituelle détermination, Mélanie préférerait y arriver en douce. Bien assez de traits caractéristiques de sa classe sociale transpireraient d'elle cette nuit-là sans les offrir en pâture, dès le départ, par une entrée trop bruyante.

Guy Simard, le fils de la maison, son camarade de classe, la remarquerait tout de suite et viendrait l'accueillir. Il avait bien voulu aller la chercher chez elle. Ce n'était pas bien loin, tout juste de l'autre côté de la rue, dans le quartier d'en bas, ce quartier des ouvriers du bord de l'eau où habitait le père de Mélanie. Mais elle avait refusé, sentant trop qu'il cherchait à lui éviter le grand affrontement de toute une maisonnée de gens riches du quartier huppé d'en haut, de l'autre côté de Grande-Côte.

Au nom de l'émancipation féminine, elle avait tenu à s'y rendre seule. Et quelque malin petit diable crâneur l'avait même poussée à y faire son entrée un peu sur le tard. Elle avait compté sans le trac.

Guy n'avait pas insisté pour aller la prendre. Avec elle, il ne fallait pas forcer les choses. Depuis quelques mois, le grand jeune homme s'était vivement intéressé à l'adolescente. À ses yeux d'abord. Puis à sa poitrine. Mais en prenant un soin mâle de ne le laisser savoir que par des farces pas toujours congrues dites entre amis du même sexe. Et, sans trop le vouloir ni trop y résister non plus, il s'était pris d'admiration pour le goût de vivre et le cran de l'étudiante.

Gauche, il l'avait crânement abordée. Elle l'avait rabroué. Il avait ri sans amertume. Chaque semaine, il avait changé sa tactique et, petit à petit, imperceptiblement chaque jour, la jeune fille s'était laissé apprivoiser par ce fils de riches, bon vivant, au caractère souple, peu enclin à vouloir changer le monde.

Ils passeraient la soirée ensemble dans cet étouffant palais de glace et de luminosité. Les parents de Guy, maîtres de la maison et de la soirée du réveillon, seraient trop courtois. Les invités lui adresseraient plus souvent que de raison des sourires inquisiteurs, souvent insidieux.

Mais elle ne désarmerait ni devant les uns ni devant les autres. Ils verraient que dans l'esprit des pauvres, les riches n'existent plus que par leurs excès de consommation. Ils sauraient tous qu'une petite fille de dix-neuf ans du quartier d'en bas est parfaitement capable de remonter de l'autre côté de Grande-Côte sans l'aide de personne. Elle ne manquerait pas de leur faire comprendre que c'est elle qui donnait les cartes dans sa relation avec Guy. Tous ses gestes, toutes ses attitudes compenseraient pour les excès de considération dont on ne pouvait manquer de l'affubler dans ce milieu hypertrophié.

Son esprit dissipa les images et insuffla à sa bouche pâle l'inexorable interrogation:

— Qu'est-ce que je viens faire ici?

Elle posa son harmonieuse main transie sur la poignée de fer froid. Ses doigts s'imprégnèrent doucement dans le givre qui se liquéfia sous la peau chaude. Les muscles bandèrent vigoureusement. La souffrance que lui infligeait la morsure du métal décupla une assurance qu'elle se motivait à faire revenir en force.

À narines élargies, elle aspira d'énormes portions d'air glacial et humide. N'eût été du sang bouillant qui roulait maintenant par grands à-coups dans sa chair frêle et fière, ses poumons se seraient couverts de givre eux aussi.

La porte lui fut arrachée de la main par une femme d'allure sombre qui lança nonchalamment:

— Veuillez entrer, je vous prie. Mais d'abord, quel est votre nom?

À quoi Mélanie répondit sur un ton ferme, presque tranchant:

— Je suis Mélanie Germain, l'amie de Guy.

— Pourquoi n'est-il pas allé vous chercher? Trop fainéant?

La grosse personne avait questionné avec une touche de malice. Elle cherchait ostentiblement à se libérer de quelque frustration en même temps que de percer le mystère de l'arrivante. Et, sans le savoir, elle n'aurait pas été heureuse que Mélanie acceptât sa complicité parce que cela l'aurait privée un peu de cet exutoire idéal à sa hargne: le sentiment de son état de domesticité.

La jeune fille rétorqua d'une voix plus dure:

— Ce genre de choses n'est plus beaucoup à la mode au seuil des années 80, madame.

La domestique haussa les épaules, hocha la tête, soupira. Et elle décida de ne plus adresser la parole à cette jeune prétentieuse, future bourgeoise et déjà transfuge. D'un oeil oblique et courroucé, elle observa la jeune fille se déshabiller.

Lorsque le manteau fut accroché, que les chaussures furent rangées, la femme tourna les talons et entama une marche impérieuse vers ce salon familier à Mélanie qui y avait déjà vécu quelques heures plutôt neutres. L'étudiante suivait l'autre sans s'inquiéter de la bruyance de la grosse personne, celle-ci étant de ceux qui se font oublier par leur habituelle indiscrétion.

Mélanie ignora aussi bien l'escalier que le lustre, ce qui n'empêcha nullement les délicats reflets des glands de verre de la poursuivre et de lui accrocher des étoiles aux cheveux. Des cheveux mi-longs, ondulés, chargés d'éclats vaporeux, noirs comme la nuit, plus soyeux là qu'ailleurs, plus beaux qu'en ces lieux ordinaires du quartier d'en bas.

La domestique traversa la ligne de démarcation entre le tapis et la tuile, mais elle parut encore plus volumineuse sous la luminosité plus douce et dirigée du salon.

À son tour, Mélanie allait quitter la blancheur presque brutale du vestibule lorsque surgit devant elle une masse humaine exhalant une odeur à la fois virile et très douce. Avant d'avoir pu relever la tête, elle sentit deux mains solides lui envelopper la pointe des épaules. Sous l'impact plutôt ferme, les deux corps s'immobilisèrent à la distance de l'intimité.

Comme si elle avait su à l'avance ce qui l'attendait, Mélanie releva tout doucement la tête. Dans une de ces perceptions qui se font à la micro-seconde, elle avait compris que l'homme n'était pas Guy... Qu'il était plus. Beaucoup plus!

Pendant quelques fractions de seconde, elle maîtrisa son désir de voir et de savoir. Tout d'abord, elle capta le bleu d'une lampe en arrière-plan. Ce bleu velouté transporta délicatement son regard sur des cheveux foncés et en broussaille. Puis, tout le visage lui apparut : aussi mâle que le contact des paumes, aussi doux que le parfum, aussi espiègle que les cheveux.

Leurs yeux se rencontrèrent, eurent le temps de se questionner, de se fondre.

Il voulut s'accrocher à l'âme qu'il cherchait, mais la jeune fille rompit le charme en esquissant un mince sourire.

— Et moi qui voulais une entrée discrète ! réfléchit-elle tout haut.

— Je m'excuse, fit-il.

Et après cette parole machinale, comme s'il avait voulu secouer son esprit, il bougea vivement la tête et rajouta :

— Quand vous me connaîtrez mieux, vous verrez que je suis le roi de la gaucherie.

Elle élargit son sourire, bougea un peu le corps pour s'écarter du chemin.

— Et moi, d'habitude, je marche la tête un peu plus haute.

Il recula ses mains, les fit tournoyer négativement :

— Ne regrettez rien... Vous pouvez même recommencer.

À son tour, il livra passage et chacun avança vers son prévu avec, pourtant, les yeux du coeur accrochés derrière. En l'âme de chacun, un doux et frais souvenir se muait déjà en de folles espérances. Folles et tendres.

Guy Simard venait de commander à l'équipement électronique de la pièce de diffuser en sourdine des airs de Noël. Coupe à la main, il se hâta prudemment vers l'entrée du salon pour accueillir Mélanie. Une lueur d'inquiétude traversa ses yeux quand il aperçut ceux de la jeune fille et qu'il vit, derrière elle, Jean qui s'en allait dans le vestibule. Néanmoins il sourit. D'un sourire pétillant comme le champagne de son verre. D'un sourire plein d'équilibre: à la fois mondain et sincère. De ce sourire aussi noble que peuple qui avait toujours eu l'heur de plaire à Mélanie. De ce sourire qu'elle venait de voir sur le visage de l'autre jeune homme chez qui il habillait une physionomie plus virile, plus racée, plus tendre.

— Bonsoir Mélanie, dit Guy en posant doucement sa main dans le dos de l'arrivante.

Elle jeta un regard circulaire sur la pièce et ne répondit pas.

— Bonsoir, fit à nouveau le jeune homme en penchant la tête.

La situation lui parut bizarre et elle éclata de rire. Elle avait conscience de pénétrer dans une jungle et pourtant, elle se sentait bien. Fière surtout!

— Bonsoir Guy, dit-elle en clignant des yeux. Je vois que tu as déjà commencé à boire Noël...

— Comment dis-tu?

— Tu bois Noël.

— Toi et tes figures de style pas trop catholiques!

— Au contraire, elles le sont. Noël et alcool ne sont-ils pas synonymes chez les bourgeois?

Guy hocha la tête et rétorqua sur un ton paternel:

— Et ailleurs donc! Pas de politique ce soir,

veux-tu? Pas de discours sur la société et la lutte des classes. Prenons un seul engagement: celui de rire.

Il entraîna sa compagne vers un groupe de jeunes au fond de la pièce immense qui contenait, outre un luxueux mobilier de style classique, une bibliothèque fort bien garnie de livres qui n'avaient sans doute jamais été lus ni même ouverts.

Il y avait là un adolescent que Mélanie connaissait puisqu'ils fréquentaient le même cégep, et deux jeunes filles inconnues. Guy fit les présentations.

Une blonde au visage anguleux toisa l'étudiante d'un long regard scrutateur qui ne parvenait pas à faire oublier son nez hautain. Et elle accentua les mouvements déjà exagérés de ce corps superbe qui semblait être l'unique préoccupation de son existence.

La conversation venait tout juste de se rengager dans son monotone roulis que Guy l'interrompit:

— Mélanie, tourne-toi que je te présente le plus ivrogne de nous tous.

Elle fit demi-tour.

— Voici Jean Carrière, un snob de Cartierville. Jean, voici Mélanie Germain, celle dont je te dis du mal depuis longtemps.

Chacun sentit une question ainsi qu'une réponse dans les yeux de l'autre. Les mains se rencontrèrent, s'étreignirent, mirent le plus exquis des points-virgules à leur deuxième conversation non verbale de la soirée. Car les formules de politesse qu'ils marmonnèrent étaient tout à fait creuses et ni l'un ni l'autre n'y prêta la moindre attention. La blonde anguleuse ne tarda pas à venir réclamer son dû. Elle s'accrocha au bras de Jean:

— J'ai soif, dit-elle d'une voix sirupeuse qu'elle

possédait naturellement, mais que les circonstances lui faisaient accentuer.

— Allez faire le plein: c'est moins cher que de l'essence, dit Guy en désignant une table self-service où abondaient les breuvages de tous azimuths.

Le couple obéit et tourna les talons, laissant à Mélanie deux sortes de regards: l'un chargé de mystère et d'émotion et l'autre carrément vindicatif.

— Et toi, qu'est-ce que tu vas prendre? demanda Guy.

— Que suggères-tu?

Il haussa les épaules en signe d'impuissance.

— Allons voir ce qu'offre le barman, suggéra-t-elle malicieusement.

— Très bonne idée... Sauf qu'il n'y a pas de barman. Personne ne veut travailler le soir de Noël...

— Sauf les femmes. Pour préparer la bouffe avant, faire le service pendant et faire le ménage après.

— C'est pas du travail, ça, pour les femmes: c'est un plaisir.

— Maudit Simard, grinça Mélanie.

— Te fâche pas, c'est pour rire.

— Je sais.

— Allons chercher de quoi boire.

La jeune fille fit exprès de se placer à côté de Jean qui était en train de verser des boissons dans des verres. Et elle revint à la charge auprès de Guy sur la question du travail:

— Et pourtant, la domestique?

— Madame Bourbonnais, c'est pas pareil. Elle travaille ici depuis des années et elle n'a pas de famille. Où veux-tu qu'elle aille le soir du réveillon? Elle se sentirait malheureuse de ne pas pouvoir maugréer contre quelqu'un. Ici, elle se sent indispensable. Elle aime ça comme ça.

— Elle est quand même une esclave.

— C'est elle qui a voulu rester pour s'occuper du réveillon. De toute façon, je ne t'apprends rien à te dire que c'est elle qui nous a pratiquement élevés. Sa famille, c'est ici; sa vie, c'est ici. C'est elle qui l'a voulu comme ça et c'est ça qui la rend heureuse. Ceci dit, qu'est-ce que tu choisis? Un verre de punch? Gin tonique? Champagne? Vin? Rhum and Coke?

Mélanie remarqua l'absence de bière et pensa qu'il devait bien y en avoir quelque part ailleurs dans la maison.

— Je vais prendre une bière... Comme d'habitude.

— Je vais en chercher.

Elle profita des quelques secondes suivantes pour jeter un oeil discret aux mains de Jean qui manipulaient avec dextérité les bouteilles d'alcool et les accessoires de barman. Mains souples. Ni petites ni grosses. Solides, volontaires, décidées.

Il sentit le regard posé sur lui. Sans bouger la tête, il dit:

— Tu ne veux pas que je te prépare un cocktail Cartierville, Mélanie?

— Je me contente de l'alcool des ouvriers.

— Quoi?

— La bière.

— Ah! En fin de compte, le résultat est le même.

La conversation ne bougea pas davantage. Jean fut entraîné ailleurs par sa compagne.

Guy revint, tendit une bière. Puis il présenta Mélanie à ceux, parmi les vieux de l'autre bout de la pièce, qui ne la connaissaient pas déjà. Il y avait un oncle de Guy, médecin à Duvernay. Le curé d'un village des Laurentides : autre oncle de Guy. Le médecin était avec sa femme ; le curé, seul. Il y avait la grand-mère de Guy, accompagnée d'un homme énorme au rire immense.

Mélanie cessa de mémoriser méthodiquement. Elle se rappellerait d'un homme d'affaires chauve et de sa compagne, une sorte de picouille aux airs d'ancienne guidoune. Elle n'oublierait pas non plus cet enseignant frustré, puant la fausse sollicitude, à la recherche constante d'un adversaire pour le débat intellectuel. Sa femme, professeur également, offrait bien meilleure compagnie et c'est auprès d'elle que Mélanie passa une bonne partie de l'heure suivante à discuter de psychologie.

L'étudiante avait tout pour charmer. Une voix douce, pleine d'assurance et d'intelligence. Des lèvres sensuelles sans aucune moue agressive. Un visage plutôt rond, jeune, jamais indécis. Et malgré cela, une touche de romantisme qui nuançait l'ensemble : ces ondulations brillantes dans les cheveux, ces petits plis discrets aux joues souriantes et cette goutte de nostalgie dans la ligne des paupières.

Mais par-dessus tout, ce qui lui valait souvent d'être le centre d'attraction d'un groupe, c'était sa détermination mesurée, authentique, sans masque. Ainsi étaient généralement sa démarche, son verbe, ses gestes.

Victor, le père de Guy, un important brasseur d'affaires, aimait converser avec elle. Chacun d'eux avait pourtant sa ligne de pensée bien à soi. Il s'approcha sans trop de discrétion des deux femmes et s'immisça dans leur conversation à l'évident plaisir de Mélanie qui aimait bien ce bonhomme grisonnant, tout d'une pièce, au sourire universel, et qui avait émergé par la force de ses poignets et surtout par la séduction de ses manières.

— Encore bonsoir, mademoiselle Germain. Quelle nouvelle théorie avez-vous mijotée ces derniers temps et nous exposerez-vous cette nuit? demanda le gros homme gris en accentuant son sourire.

— Le choix de vos mots indique-t-il que vous me preniez pour une rêveuse?

— Ne le sommes-nous pas tous plus ou moins?

— Sûrement pas les hommes d'affaires comme vous! Simard Musique: des petites, des moyennes et même des grandes orgues. Une chaîne de plusieurs magasins qui ceinture tout le Québec... Tout ça n'est pas du rêve mais de la réalité. Tandis qu'une petite étudiante de cégep ne peut, tout au plus, que rêver au lendemain et exposer des théories, n'est-ce pas?

— Voyons, mademoiselle, voyons! Simard Musique, c'est dix-huit magasins avec tout ce que ça suppose de contraintes à chaque jour, de problèmes...

— D'argent...

— Aussi. Mais Victor Simard, c'est vingt autres magasins. Et ceux-là, ils ne sont encore que là, entre mes deux oreilles. Ça aussi, c'est du rêve, vous ne pensez pas?

— Un rêve moins pur... Je veux dire plus proche du réel, puisque les vingt autres ne seront que des nouveaux maillons d'une même chaîne.

— Chaque magasin a sa personnalité, son cachet, ses spécifications, le tout adapté à l'achalandage qu'on lui prévoit. Vouloir faire du suivant la réplique du précédent serait courir à l'échec. Par conséquent, le plan d'un nouveau magasin, c'est une sorte de rêve, au même titre par exemple que le roman que prépare un écrivain.

— Mais votre objectif reste toujours le même : l'argent, le profit, l'exploitation.

L'homme éclata d'un long rire épais et gras.

— Les gens qui ont des théories à gauche ont un don incroyable pour déformer les mots et les faire servir leurs idées. Pour eux, qui cherche le profit est profiteur et qui exploite une entreprise est exploiteur.

Ces paroles tout aussi indiscrètes que le retentissant rire qui les avait précédées attirèrent l'attention du beau-frère de Victor, cet enseignant que Mélanie avait fui une heure auparavant.

Sous prétexte de rejoindre sa femme, l'homme s'approcha gauchement, un rictus malicieux au coin de la bouche.

— Ton cher frère essaie-t-il de t'emplir comme il l'a toujours fait ? dit-il à sa femme sur un ton qui laissait percevoir un arrière-fond de hargne et d'alcool.

— Nous parlions simplement, répondit-elle avec appréhension.

— Comment ce cher Victor pourrait-il parler d'autre chose que d'argent ? Quand on le connaît comme je le connais...

— Écoute, Borromée, coupa Victor le visage assombri, je n'aime pas trop qu'on me traite de borné...

À son tour, il fut coupé par l'autre qui accentua visiblement son air éméché :

— Un capitaliste ne peut faire autrement que d'être borné, voyons, mon cher beau-frère. N'est compétent que celui qui est spécialisé en quelque chose... donc qui a des bornes... donc qui est borné. N'est-ce pas logique ? Or, vous autres les capitalistes, n'êtes-vous pas des spécialistes du profit? Conclusion...

Victor soupira, se composa un sourire commercial:

— Quant à se traiter de tous les noms, aussi bien te dire que vous autres, les enseignants, êtes considérés comme une nouvelle sorte de capitalistes...

L'autre pouffa:

— Personne n'est moins capitaliste qu'un professeur. Encore une fois, tu parles à travers ton chapeau.

— C'est sûr que vous êtes une gang de cassés. Mais j'ai dit une nouvelle sorte. Vous êtes des magnats de la vérité, des capitalistes de la diplômologie.

— Ha, ha, ha, ha, ha, il aura fallu que tu y penses longtemps à celle-là avant de la sortir.

— Pas une miette! Tu l'as dit que je ne pouvais penser à rien d'autre qu'à l'argent.

— Tu voudras bien me dire où tu as pêché un jugement aussi brillant?

— Tout le monde le pense... Tout le monde, sauf les enseignants!

La soeur de Victor intervint sur un ton modéré:

— Je te remercie de tes bons mots; je t'avoue que je ne croyais pas que tu pensais ainsi.

— Te fâche pas, Sylvia. Je parle des enseignants masculins...

— On est dans le même bateau.

— Ah, je ne dis pas ça pour te ménager, Sylvia. Non, vois-tu, on dirait que les enseignants masculins sont tous en maudit de ne pas être devenus avocats, notaires ou comptables agréés. À force d'en montrer aux enfants, vois-tu, ils finissent par penser qu'ils peuvent en montrer à tout le monde. C'est dans ce sens-là qu'on dit qu'ils sont des magnats de la vérité. Ils se prennent pour des lumières de la société, tu comprends, des philosophes brillants mis au monde pour guider les autres. Puis c'est pas tout, ça. Ils sont même en rogne d'être dépassés dans leurs moyens de consommation par les gens de commerce. Imagine: les commerçants, ces imbéciles sans éducation ni instruction qui les battent à la caisse, eux, les détenteurs du vrai. Ce qui fait qu'ils courent les diplômes supposément pour rendre service aux étudiants; mais en réalité, c'est pour obtenir des plus gros salaires. C'est ça, des capitalistes de la diplômologie...

— Mon cher Victor, fit doucereusement Borromée, la race d'exploiteurs à laquelle tu appartiens est en voie de disparition. C'est normal qu'elle se rebiffe un peu et piaille. Et quand on retraite, on veut se justifier en trouvant un bouc-émissaire. Pourquoi pas les enseignants? Ils sont des citoyens à part entière, payés raisonnablement et qui militent pour les droits des travailleurs. Honnêtes et gauchisants, ils sont donc dangereux. Alors on tâche de les faire passer pour orgueilleux et frustrés.

— La race à laquelle j'appartiens recherche l'argent parce que l'argent reste encore la meilleure mesure du succès d'une entreprise, parce qu'il est l'indice de la réalisation d'un rêve et non, comme c'est le cas pour toi, Borromée, parce qu'il permet de consommer...

— Ha, ha, ha, ha, ha, la farce plate! C'est ici dans une maison pareille qu'il faut entendre ça! Avec domestiques s'il vous plaît, au bord des années 80. Faut venir dans un château-fort de la consommation pour se faire traiter de consommateur!

L'homme avait accompagné ses paroles de larges gestes des bras. Il termina par une question à l'adresse de Mélanie :

— Qu'est-ce que vous dites de ça, mademoiselle Germain ?

Depuis le début de la prise de bec, Mélanie avait, en son for intérieur, pris position contre chacun des deux hommes. Elle sentait et savait que chacun avait tort, mais elle ne parvenait pas à tracer en son esprit une troisième voie plus sereine, plus aimante, plus logique.

— Tu as rarement de bonnes idées, Borromée, mais cette fois, en voici une. Quelle est votre opinion, Mélanie ?

Coincée, elle devait plonger, guidée par son seul désir de rester la tête froide. Mais elle avait conscience de voguer dans des récifs dangereux.

— Je ne parlerai pas des enseignants comme tels ou bien des entrepreneurs privés, mais des valeurs que ces gens défendent et représentent respectivement. À mon avis, derrière votre discussion, ou devrais-je dire vos insultes, au niveau des idées, il y a du vrai dans chacune de vos positions. Et puis, dans toutes les idéologies, ne s'entend-on pas pour dire que c'est du choc des idées que jaillit le progrès ? Moi, je pense que l'important sera justement qu'aucun des ordres de valeurs, ni celui de gauche ni celui de droite, ne vienne à disparaître. Le choix n'est pas déjà trop étendu...

— Mais vous penchez quand même du côté gauche, Mélanie, dit Victor sans sourciller.

— Comment pourrait-il en être autrement quand on vit du côté gauche de Grande-Côte ?

— Côté gauche, côté droit... Tout dépend de la direction qu'on prend, rétorqua malicieusement le marchand d'instruments de musique.

Le charme de Mélanie venait encore de produire ses effets. Victor s'était radouci. Borromée s'était mis à ausculter du regard les courbes harmonieuses mais discrètes de la jeune fille.

Elle dit sur le ton de la douce fermeté:

— Je suis engagée à gauche, mais ça ne veut pas dire que je souhaite la disparition de toutes nos valeurs traditionnelles. Être engagé, ça ne veut pas dire nécessairement être radical. Pour moi, la lutte des classes, ça devrait être comme une compétition de souque à la corde où le témoin reste au centre. L'équilibre des forces doit demeurer entre les deux parties; autrement, c'est la catastrophe.

— On est en train de le perdre cet équilibre parce que les gens de gauche tirent trop fort.

Sur un ton d'incrédulité contrôlée, insistant sur chaque syllabe, Mélanie dit:

— Monsieur Simard, vous m'en direz tant! Vous savez très bien que la couverture abrite encore beaucoup plus les gens de votre bord...

— Vous voulez quoi au juste? L'égalité matérielle? En théorie, c'est beau, mais dans la pratique, personne n'en veut de votre égalité. Pas même les plus pauvres. Les gens veulent désirer les choses, ils veulent se battre, ils veulent des défis à relever, ils veulent rêver. Ils ne veulent pas d'un système qui tue les ambitions.

— Monsieur Simard, vous parlez comme un politicien. Je parie que vous nourrissez des petits projets de candidature aux prochaines élections.

Se sentant ignoré, Borromée dit:

— Vous m'excuserez, je vais aller au bar...

Il leva sa coupe et se dirigea vers la table-bar, entraînant sa femme avec lui.

—-Vous voyez: quand le sujet approche de la politique provinciale, monsieur le professeur s'éloigne. Il était péquiste à mort, par nationalisme, par grandeur d'âme, par pureté politique; mais depuis qu'il se rend compte que le gouvernement restera raisonnable au chapitre des salaires des enseignants, il est devenu muet. Et dans un troisième temps, il sera de ceux qui vont conspuer ceux-là même qu'ils portaient aux nues il y a quatre ans. Du monde, c'est du monde, que voulez-vous? Et ça se dit anti-bourgeois!

— Monsieur Simard, seriez-vous par hasard devenu un défenseur du parti québécois?

— Oh, mais pas du tout!...Je suis libéral et fédéraliste. Et j'entends bien le rester. Mais je suis comme vous: pas radical. Je tâche de voir les deux côtés de la médaille...

Il plissa les yeux et rajouta sur un ton taquin:

— Le côté blanc et le côté noir.

— Il est donc possible que je doive travailler contre vous à la prochaine élection, puisque vous serez peut-être candidat?

Victor haussa les épaules et fit une moue négative:

— Sans doute pas, sans doute pas! Vous savez, essayer de convaincre les gens de choses évidentes, ça ne me dit rien qui vaille.

— Par exemple?

— Par exemple que le fédéralisme est une valeur autrement plus sûre que la souveraineté.

— Vous me donnez envie de rugir, là, vous. Vous

me piquez au vif. En plein dans ma fierté de Québécoise. Par chance que je vous connais. Je sais que vous ne prenez pas tout ça au sérieux.

— Bien au contraire, Mélanie, je suis très sérieux. À dix-huit ans, c'est beau le nationalisme...

— Vous parlez de moi? C'est dix-neuf ans...

— C'est sentimental, mais quand on a les pieds joints dans la réalité de tous les jours, on pense autrement. Les élans du coeur, l'appel de la race, les vibrations collectives cèdent le pas aux besoins de la vie quotidienne.

— Les soucis du jour et le nationalisme seraient-ils des notions irréconciliables, monsieur Simard? Bien sûr que non! Bien au contraire, ce sont des notions complémentaires.

— Et puis c'est quoi le nationalisme? Du flattement de bedaine? Deux cent mille Québécois assis sur une caisse de bière sur le mont Royal ou bien au Centre de la Nature de Laval et qui se crient les uns les autres: on est beaux, on est fins, on a le goût de nous autres?

— Vous savez bien que non. Mais que six millions de Québécois puissent parler leur langue chez eux: voilà qui relève d'un nationalisme sain et qui s'inscrit dans le souci d'un quotidien meilleur.

— Des mots, tout ça! Beaux, mais des mots simplement. Les orgues que je vends portent un nom anglais et la musique qu'elles rendent est universelle.

— Monsieur Simard, il y a un instrument bien plus grand que l'orgue pour rendre une mélodie et c'est la voix humaine. Et quand la voix s'exprime, il lui faut bien choisir une langue. Et pour un peuple digne, c'est sa langue à lui. Pas celle des voisins.

— Aujourd'hui on s'isole par la langue. Demain, ce sera par le politique. Ensuite, par l'économique. Quand tout cela s'arrêtera-t-il? Quand nous serons cubanisés: voilà quand ça va s'arrêter.

— Vous êtes drôlement alarmiste.

— Réaliste.

— Fataliste.

— Allons faire la paix devant des verres remplis.

— Je ne sais pas si c'est à cause de la bière ou de l'atmosphère de Noël ou bien des deux, mais je ne me sens pas très agressive ce soir.

— C'est vrai qu'il y avait plus de flammèches dans vos yeux lors de notre petite engueulade de la semaine dernière.

— Plus on se connaît, plus on se parle et plus on se comprend et plus on se rapproche.

— C'est exactement pour ça que je suis fédéraliste!

— Depuis quand les Anglais s'intéressent-ils à nous? Depuis que nous parlons de nous séparer.

— Et voilà qu'on recommence...

Guy s'était approché d'eux. Il mit une main sur l'épaule de son père et, de l'autre bras, entoura la taille de Mélanie. Il leur dit sur le ton d'un bienveillant reproche:

— Papa, vas-tu me priver de ma compagne pendant toute la nuit? Et toi, tu ne t'ennuies pas avec les vieux? Les jeunes se demandent s'ils ne t'ont pas donné une mauvaise impression. Ils aimeraient bien te connaître mieux.

Elle baissa les yeux et demanda hypocritement:

— Qui donc s'intéresse tant à moi là-bas?

— Tous... Jean et les autres.

Elle sentit quelque chose tournoyer dans sa poitrine: une vibration inconnue, mystérieuse. Comme une feuille sur l'onde, le nom de Jean se déposa délicatement en son âme, y fit naître une vague de frissons indéfinissables.

Depuis que les femmes ont appris à lever les yeux, une nouvelle forme de dialogue est née entre personnes des deux sexes: dialogue invisible, inaudible, que même le cinéma n'a jamais réussi à rendre parce qu'il n'est possible que dans des situations complexes dans lesquelles plusieurs personnes parlent à la fois et aussi parce qu'il est d'une incroyable rapidité. Langage complice entre deux êtres. Insaisissable par les tiers. Même pas gestuel. Tout concentré dans l'éclat des yeux. Sans doute la science trouvera-t-elle bientôt des ions d'une sorte particulière dans ces échanges mystérieux mais fabuleux pour ceux qui les font.

Mélanie et Jean se jetèrent des dizaines de ces micro-oeillades dans les heures qui suivirent. Ils le purent encore mieux à l'heure du réveillon parce qu'assis presque face à face. Et ils s'y livrèrent avec délice.

La mère de Guy et la domestique furent copieusement arrosées de félicitations et d'applaudissements à la fin du repas. Guy suggéra alors aux jeunes de laisser les vieux à leurs placotages et d'aller danser autour du sapin. Cela ne souleva aucune protestation.

Depuis la fin de sa conversation avec le père de Guy, Mélanie n'avait plus eu aucune pensée froide, issue de son intelligence, mesurée, contrôlée. Elle s'était laissée aller à une rêverie décousue. Elle se sentait dans un pays de merveilles tout fait de brillance, de couleurs, de féerie, avec, au centre de cette magie, un prince. Un prince mystérieux mais accessible puisque ses yeux avaient parlé toute la soirée.

La nuit avança. Ils dansèrent. Guy défit les emballages de ses cadeaux. Chaque invité reçut un souvenir des mains de Victor. Guy et Mélanie s'échangèrent un parfum et une eau de Cologne.

Pendant longtemps, la jeune fille s'exerça à mélanger ses sens et leurs perceptions. Elle s'amusa à injecter par l'imagination l'odeur du sapin au breuvage de sa coupe. Elle vit l'image de Jean se déformer, devenir diaphane, se muer en parfum bleu et abreuver ses narines. Elle se plut à sentir les notes de musique frôler son visage et caresser voluptueusement son corps. Elle but les sons, huma les couleurs, toucha les odeurs. Ses sens n'avaient plus de sens et c'était une sensation merveilleuse.

Les invités quittèrent les uns après les autres, repus, fatigués ou carrément soûls. Les parents de Guy s'excusèrent à leur tour et disparurent en même temps que madame Bourbonnais.

Il ne resta plus que Mélanie et Guy, Linette et Jean.

La blonde avait pris place sur le bras du fauteuil où Jean était assis. Elle dodelinait de son opulente poitrine, bougeait des hanches. Accompagnant ses mots d'un rire inutile, elle suggéra :

— Nous partons nous aussi ?

Jean risqua un coup d'oeil discret vers Mélanie. Linette le perçut et regarda elle aussi dans cette direction-là, mais ses yeux lancèrent des lueurs de mépris hautain comme elle l'avait fait à plusieurs reprises au cours de la soirée. Puis elle réprima à peine un sourire, se pencha à l'oreille de Jean pour chuchoter très fortement, d'une façon que Mélanie ne puisse pas ne pas entendre :

— Partons. Allons faire l'amour.

Pour faire mine de n'avoir pas entendu, Mélanie dut contrôler chaque muscle de son visage. Mais ses mains jointes se crispèrent. Linette aperçut le mouvement. Pour montrer davantage la force du lien qui l'unissait à Jean, elle chuchota une seconde fois, mais ce coup-ci, sans quitter Mélanie des yeux :

— Allons faire l'amour comme la nuit dernière... Et comme avant-hier.

Mélanie se sentit de glace. Les paroles de Guy bourdonnaient à son oreille. Vides de sens. Elles n'étaient qu'un son continu, à peine perceptible. La jeune fille aurait voulu partir, courir vers chez elle, se réfugier dans sa maison, dans son lit, sous ses draps, oublier cette catin sirupeuse et son prince dévoyé. Mais elle était rivée au canapé. Rivée par l'impuissance. Rivée par la rage. Clouée par le diabolique chuchotement de la grue croassante.

Jean se leva brusquement et lança :

— À notre tour de partir. J'en ai une qui ne sait plus très bien ce qu'elle dit.

Il se mit à marcher vers le vestibule d'entrée, suivi de sa compagne qui commentait, la voix titubante :

— Je sais très bien ce que je dis. Et il sait que je le sais.

Pour raccompagner ses invités, Guy dut laisser Mélanie seule avec ses pensées. Elle tenta d'intelliger son malaise pour le mieux contrôler. Peine perdue. Sa rêverie de porcelaine avait éclaté en mille miettes. Trop vite. Trop tôt.

Elle imagina Linette et Jean nus, enlacés. Sauvage, inexorable, la chair de poule envahit son corps tout entier jusqu'au front, jusqu'aux paupières qu'elle scella douloureusement pour ne plus rien voir.

— Tu ne te sens pas bien? entendit-elle Guy lui demander doucement.

Comme un animal prêt à bondir sur sa proie, elle ramassa toutes ses forces, toutes ses énergies vitales, à la poursuite d'un seul objectif: se ressaisir. Et elle y parvint.

— Non, ça va bien. Je réfléchissais profondément.

Elle se rendit compte qu'elle venait de mentir, de se mettre un de ces masques qu'elle reprochait à tout chacun, surtout aux plus vieux, de porter. Elle venait de manquer d'authenticité. Mais la douleur, sa douleur à elle, était inavouable. Et elle pensa aux porteurs de masques et aux raisons inavouables qu'ils avaient, eux aussi, d'en porter. Un goût de pardon et de tolérance vint effleurer son âme.

— Ils vont faire l'amour, murmura Guy.

Le pieu s'enfonça droit dans son coeur, en déchirant rageusement toutes les parois. Elle cracha:

— Qu'est-ce que tu veux que ça me fasse à moi?

Guy demeura interdit:

— Que ça te fasse plaisir pour eux. On dirait que c'est plutôt le contraire. Ça me surprend d'une fille aux idées aussi libres que les tiennes.

Elle mentit une deuxième fois afin de cacher sa déception:

— J'ai cru que tu disais cela pour m'inciter à le faire moi aussi. C'est pour ça que j'ai réagi fortement.

Il se pencha sur elle, lui enveloppa les épaules:

— Tu sais bien que je ne te forcerai pas. Tu sais bien que jamais je ne jouerai sur tes sentiments pour y arriver. Je te l'ai demandé franchement, carrément. Quand tu seras prête, tu me feras signe. C'est tout. Maintenant, viens que je t'embrasse pour te souhaiter joyeux Noël.

Elle bougea brusquement les épaules comme pour se débarrasser des mains importunes.

— Laisse-moi tranquille. Je ne me sens pas d'humeur...

Et elle se réfugia dans ses pensées.

Le jeune homme reprit lentement sa place sur le canapé, près d'elle mais à distance respectueuse, l'air méditatif. Il commençait à penser qu'il s'était passé quelque chose entre Mélanie et Jean au cours de la nuit. Plusieurs images lui revinrent en retour-en-arrière. Les yeux de Mélanie quand elle regardait Jean. Les regards furtifs de ce dernier. Le flair de Linette.

— Comment as-tu trouvé ma cousine Linette? demanda-t-il pour remplir le silence mais aussi pour en apprendre davantage.

« Petite vache ! » pensa Mélanie. Mais elle répondit par un haussement d'épaules et une moue signifiant : comme ci, comme ça.

« Troisième manque d'authenticité en moins de cinq minutes », pensa-t-elle aussitôt.

— Et Jean ? questionna-t-il insidieusement.

— Ah, ce que tu peux me fatiguer avec tes questions ! Le jour s'est levé ; je m'en vais moi aussi. On parlera de tout ça la prochaine fois.

— On se revoit ce soir ?

— Je ne sais pas. C'est selon...

— Selon quoi ?

Elle répondit durement:

— Si je ne suis pas morte. Si je ne dors pas. Si mes parents n'insistent pas trop pour que j'aille chez grand-père Beaudry. Si...

— Si tu es de meilleure humeur?

— Je ne suis pas de mauvaise humeur, je suis fatiguée.

— Moi, je crois que c'est ma cousine qui t'a mise en rogne.

— Et pourquoi donc?

— Ses manières...

— Pouah!

Elle se leva, marcha jusqu'au placard. Guy la suivit de loin. Il ne l'aida pas à s'habiller. Il ne voulait pas qu'elle y trouve un autre prétexte pour l'agresser. Quand elle fut prête à partir, il lui demanda:

— Ai-je fait quelque chose d'incorrect?

— Non, non, Guy. C'est l'heure, la fatigue, la boisson, la fin d'une bonne soirée, le retour à la réalité etc... etc...

— Je sens que tu ne veux pas que je te raccompagne chez toi.

— En effet, j'aime mieux pas.

— Je peux savoir pourquoi?

— J'ai besoin d'un moment de solitude dans la nature. La grande nature, ma meilleure amie... ma seule amie.

— Je comprends. Je peux t'embrasser avant ton départ?

Elle présenta la joue. Il y déposa un bref baiser. Puis il ouvrit la porte.

— Salut, dit-elle sans se retourner.

— À ce soir, fit-il sur le ton de l'espoir.

L'air vif ranima toutes les énergies de son jeune corps. Mélanie se mit à marcher à grandes enjambées. À chaque pas, elle enfonçait vigoureusement chaque talon dans la neige crissante. Lorsqu'une motte dure se trouvait dans sa ligne de pas, elle la faisait crever d'un coup sec du nez pointu de sa botte raide.

Quand elle eut traversé Grande-Côte, elle s'arrêta. Elle se retourna pour apercevoir la maison des Simard à travers les sapins gras de neige. Alors elle frappa un morceau qui résista au choc et la fit grimacer de douleur.

Elle reprit sa route dans des sentiers familiers, sécurisants. Elle s'arrêta sur le pas de la porte de sa demeure, jeta un regard circulaire sur les maisons d'alentour et esquissa un mince sourire.

L'air était sec, presque cassant. Elle en aspira une longue, longue bouffée et rentra chez elle.

•

Ce soir-là, plusieurs heures après le coucher du soleil, le téléphone sonna. La mère de Mélanie, une jolie femme brune au début de la quarantaine, répondit. C'était pour sa fille qu'elle avertit de son habituel cri clair.

L'adolescente descendit sans hâte l'escalier menant au deuxième étage où était sa chambre. Elle répondit machinalement. C'était Guy. Il demanda à la voir. Elle accepta sans empressement.

Dix minutes après, il arrivait. Elle avait mis un peu d'ordre dans ses cheveux, sans plus. Elle avait gardé son peignoir pour bien faire savoir qu'elle n'avait nullement l'intention de sortir.

Les parents de Mélanie saluèrent le visiteur puis retournèrent à la cuisine d'où leurs propos ne parvenaient plus que sous forme de murmures indistincts aux jeunes gens assis dans une petite pièce attenant au salon.

Guy avait pris place dans une berceuse aux allures d'époque mais sans âge. Elle s'était affalée dans le moelleux lazy-boy, fidèle compagnon de son père lors d'innombrables matches de hockey et de football.

L'on papota longuement, puis il tenta une approche sérieuse:

— J'aimerais que nous discutions, fit-il en appuyant son menton sur ses mains et ses coudes sur ses genoux.

— Rien de trop approfondi, Guy. J'ai pas trop la tête à ça aujourd'hui. Je me sens comme vidée de tout.

— Non, non. J'aimerais simplement te connaître mieux. Par exemple, savoir ce qui s'est passé en fin de nuit. Tu avais l'air heureuse et puis, sans crier gare, t'es devenue marteau comme c'est pas possible.

— Un vieux cliché dit que les femmes sont comme ça. Leur humeur change au gré du vent.

— Il y a toujours quelque chose là-dessous. Jamais je ne croirai qu'un comportement est causé seulement par l'air du temps.

— Et pourquoi pas? Y'a des tas de gens qui sont maussades à cause de la pluie. T'as remarqué comme les étudiants sont nerveux au cégep la veille d'une tempête?

— Mais de là à changer d'attitude en cinq minutes, il y a toute une marge.

— Tout ce que je peux te dire, Guy, c'est que j'peux rien te dire. Et je ne peux rien te dire pour la simple raison que je ne sais pas ce qui s'est passé. Personne n'a rien fait pour me mettre en rogne. Et toi moins que les autres. Alors vis tranquille. Ne te fais aucun reproche. Et puis, excuse-moi.

La conversation dévia sur un autre sujet. Mais Guy n'était pas satisfait des réponses de son amie. Il savait qu'elle s'était fâchée à cause de Linette et Jean. Au fond de lui-même, il espérait qu'elle lui fasse assez confiance pour en parler.

— J'ai eu des nouvelles de Jean, dit-il plus tard.

Elle ne contint pas un intérêt marqué qu'elle réprima aussitôt, mais que Guy nota puisqu'il observait ses moindres réactions. Il rajouta:

— Loin d'aller faire l'amour ce matin, ils ont rompu.

Mélanie éclata d'un rire qu'elle rattrapa vite et rejeta au fond de son cœur. En même temps, elle sentit le besoin d'expliquer son premier éclat et ne trouva rien d'autre qu'un autre mensonge:

— Je ris de moi-même, tu sais, Guy. Comme je me suis trompée sur ces deux-là! Comme je suis incompétente en psychologie, en perception des autres! Je les croyais faits l'un pour l'autre, comme on dit. Et pourtant, tu vois...

Ses beaux yeux s'arrondirent. Son visage s'anima d'une heureuse nervosité. Le ton de sa voix s'était éclairci. De tout son être émanait maintenant un enthousiasme qui eût semblé à des années-lumière la minute d'avant.

Cette fois, Guy sut lire sur le visage de sa compagne. Il ne fut nullement surpris des mots qu'il lui entendit prononcer ensuite. Un peu chagriné, mais pas surpris.

— Guy, je voudrais bien que tu me pardonnes pour ma conduite de ce matin. On est deux très bons amis et je ne voudrais pas que mon attitude vienne gâter les choses entre nous, tu comprends? Tu sais ce que nous devrions faire? Nous organiser une soirée pour le trente et un décembre. Nous pourrions nous réunir ici au début de la soirée et ensuite aller dans une discothèque. Tiens: ça fait longtemps qu'on a envie d'aller au Point d'Interrogation à Blainville, qu'en dis-tu?

Au fil de ses paroles, son débit s'accélérait, son entrain augmentait, son sourire s'accentuait.

Guy écoutait trois interlocuteurs à la fois: sa compagne, son coeur qu'il sentait devoir piétiner bientôt et sa logique qui l'invitait à l'honnêteté et au détachement. Et c'est dans cette voie-ci qu'il engagea sa prochaine phrase:

— Nous pourrions inviter Jean. Je pense que ça lui ferait plaisir de venir.

— Et pourquoi pas? Il pourrait accompagner Manon Léger. Elle est seule de ce temps-ci. Nous irons défoncer l'année à trois couples: Linda et René, Manon et Jean, toi et moi.

— Manon et René pourront-ils venir? Ils ont l'air portés sur les fêtes de famille.

—-Je vais appeler chez eux tout de suite.

Mélanie se rendit au téléphone. Elle décrocha le récepteur mais le raccrocha aussitôt avec des paroles nerveuses, presque désordonnées:

— Mon Dieu que je suis excitée! Toute la famille Léger est partie pour la campagne chez les grands-parents. Ils vont revenir demain à ce que m'en a dit Manon.

— Et Linda Lévesque?

— Elle accompagne René.

— Tu n'auras qu'à les appeler demain. Et moi,

de mon côté, je vais donner un coup de fil à Jean pour-qu'il ne s'engage pas ailleurs.

Elle demanda hypocritement:

— Crois-tu qu'il acceptera l'invitation même s'il n'a jamais vu Manon?

— S'il n'aime pas trop être avec Manon, je lui tiendrai compagnie... À Manon, je veux dire. Quant à vous deux, Jean et toi, vous en profiterez pour faire plus ample connaissance. Il m'a justement confié au téléphone aujourd'hui qu'il aurait aimé te parler davantage. Même qu'il t'a trouvée réservée, un peu froide...

Mélanie sourit au creux de son âme. Elle se rappelait les regards de Jean. Ces paroles devenaient la suite de leur complicité, interrompue par l'attitude mesquine de Linette mais rebâtie par la nouvelle de leur brouille.

Guy avait l'air triste. Mélanie s'en était rendu compte mais elle avait été longue à s'y arrêter, trop baignée qu'elle était d'espérance et de rêve. Elle finit par réagir et s'approcha de lui, s'accroupit à côté de la berçante, appuya son menton sur l'avant-bras du jeune homme blond et dit d'un air chaton:

— Guy, il m'arrive d'oublier que tu es un fils de riches. Je veux dire que tu as un coeur grand comme je ne pensais pas ça possible chez les... bourgeois.

— Tu es une petite fille taquine, soupira-t-il en lui flattant les cheveux près du front.

— Non, c'est vrai que tu as grand coeur...

— Plus un coeur est grand, plus il est difficile à remplir. Personne ne veut venir s'y réfugier. Et s'il est petit, tout chacun veut enfoncer la porte...

— Mais Guy, tu es en train de philosopher. C'est rare que... Je veux dire...

— Ça m'arrive à moi aussi de raisonner sur les choses de la vie.

Il tourna la tête vers une fenêtre, mais il ne perçut rien d'autre qu'une vague et insondable blancheur. Une impression d'hiver s'infiltra jusqu'à son coeur. Et pour ne pas qu'il glace, il l'enroba du chaud contentement qu'il sentait poindre d'il ne savait où.

Il bâilla.

— Noël, c'est Noël, hein ma chouette?

Elle sourit.

•

Il neigeait doucement. De cette neige légère mais à gros brins l'air lourdaud. C'était la bordée du Jour de l'An qui commençait. Entre quinze et vingt centimètres avait prédit le météorologue de la télé.

Jean stationna sa Camaro devant chez Mélanie. La distance lui parut longue jusqu'à la porte d'entrée. Il avait le poulx rapide malgré son allure peu pressée. Il ne connaissait pas cette Manon Léger dont Guy lui avait parlé, mais ce n'était pas ça la cause de son stress.

En avant-plan de ses perceptions depuis une semaine, émergeaient sans cesse des yeux turquoise, ces diamants bleus enchâssés dans le visage de Mélanie. Il la connaîtrait mieux ce soir-là. Il lui parlerait davantage. Ni l'atmosphère guindée de chez Guy, ni la bonhomie du père Simard, ni les vacheries de Linette ne viendraient interférer. Du côté de Guy, pas de problème: il le connaissait discret, souple, généreux, intelligent. Il savait que Guy n'était pas le gars des grands sentiments, de la romance des mille et une nuits, du drame. Son ami savait se battre sans être vindicatif, céder sa place sans se laisser bafouer. Et dans son échelle de valeurs, l'amitié dépassait largement l'amour.

Le seul point d'interrogation: Manon. Voudrait-elle lui mettre une chaîne au pied comme elles essayaient toutes de le faire? Se croirait-elle un droit sur lui parce qu'il avait accepté de l'accompagner pour fêter la nouvelle année?

Et les parents de Mélanie, seraient-ils sympathiques? À quel degré avaient-ils leurs préjugés contre la classe sociale dont il était issu?

Et puis, il y avait cet autre Point d'Interrogation, cette discothèque où il n'avait pas bien envie d'aller. Comment parler quand on ne s'entend pas parler? Oh, il y avait bien la communication gestuelle, celle des yeux aussi; mais il n'était pas homme à s'en contenter.

Il avait envie de connaître la voix de Mélanie, ses goûts, ses opinions sur des tas de choses, ses rêves, son corps peut-être. Il ferma les yeux un moment, contempla son image: elle était neuve, belle, vierge, infiniment désirable, fascinante...

Il appuya sur le bouton de la sonnerie. À peine eut-il le temps de jeter un œil sur les arbres épais et le ciel chargé que la porte s'ouvrit. C'était Guy.

« Mieux vaut que ce soit lui », pensa Jean.

Il suivit son ami sans trop porter attention aux airs rustiques de la maison. Il n'y avait pourtant dans la petite pièce que Manon Léger, une minuscule adolescente aux cheveux blonds n'ayant de la timidité que les apparences puisque dès les présentations, son visage s'éclaira d'un engageant sourire.

— Bonjour, minauda-t-elle quand Guy eut nommé Jean.

Il ne s'offusqua nullement des manières de la jeune fille puisqu'elles ressemblaient en tout à celles de sa mère. Il attribuait ses attitudes à une certaine pusillanimité contre laquelle la petite femme réagissait par un excès de miel.

Habitué des lieux, Guy fit asseoir son compagnon. Il dit:

— Tu dois trouver que l'endroit est désert? C'est que les parents de Mélanie sont partis. Et elle est en train de se faire une beauté, je suppose. Quant à Linda et René, ils sont en retard.

La conversation roula sur des banalités: neige, cégep, discothèques. Jean se sentit tout de suite à l'aise. Il se laissa vite apprivoiser par le décor. Mais c'est une photo ovale, ancestrale, accrochée sur le mur du fond, qui le fascina le plus. Il pensa qu'il pouvait s'agir des arrière-grands-parents de Mélanie à cause des airs de famille. Il plongea ses yeux dans ceux de la femme comme s'il avait voulu lui microscoper l'âme, mais la chaleur du regard de l'aïeule ne franchit pas la vitre protectrice et resta dans une autre dimension: celle d'un l'autrefois froid.

Il continuait de s'entêter lorsque Mélanie parut dans l'escalier abrupt. Jupe évasée, gilet à col roulé, mini-veston en velours noir, cheveux dégradés d'un sombre éclatant: elle lui apparut divine.

Son visage et son corps étaient si splendides et si harmonieux qu'ils donnaient à ses vêtements pourtant simples une touche d'équilibre et de perfection par lesquels il se laissa éblouir.

Mélanie lut l'admiration dans les yeux de Jean. Elle eut envie de sourire, mais elle se retint. Il était temps pour elle d'injecter une petite dose d'indépendance à leur relation naissante. Elle savait d'instinct que les hommes sont des consommateurs de femmes, qu'ils doivent sentir des obstacles sur leur chemin. Autrement, ils bouffent trop rapidement et se lassent trop vite. Elle ne verbalisait par ces choses, mais comme toute femme, elle les connaissait naturellement. Toute la logique de ses pensées sur les relations entre les sexes n'aurait pas pu débouter ces perceptions irraisonnées. Et elle restait convaincue de ce vieux proverbe: « Le cœur a ses raisons que la raison ne connaît pas. »

L'on papota. L'on but. L'on reçut Linda et René.

Jean répondit à sa manière à l'apparente indifférence de Mélanie. Il aurait du temps pour elle plus tard. En attendant, il se contentait d'observer ses récents amis.

Manon: gentille, petite, sourire vif, confiant. Un tout petit peu peu voûtée, ce qui lui donnait l'air timoré: un air faux puisque démenti par ses gestes tous modérément gauches. Une toute petite bonne femme sympathique, attachante; une poupée de carton souriante et privée d'une dimension. Le genre à se marier... ou pas. Le genre à suivre la mode... ou peut-être pas. Le genre à s'engager profondément... sans grande conviction. Le genre à être heureuse... sans complications.

Au contraire, son frère René donnait l'air d'un être insondable, ultimement carapacé. Son premier geste après les présentations avait été d'offrir à Jean une pomme luisante qu'il regardait avec respect. Un respect tel que Jean s'était retenu de prendre le fruit.

René s'exprimait avec de larges gestes pleins d'harmonie et d'une voix si chargée de douceur que Jean vint à le comparer au Christ de son enfance et à celui des grandes productions cinématographiques.

René parla de suicide avec logique, sérénité, bon goût. Il connaissait l'histoire de dizaines de suicidés célèbres, donna sa version sur de possibles erreurs d'interprétation de leurs motifs, spécula sur leurs véritables intentions.

Jean s'étonna de ne pas l'entendre parler du Christ, celui qu'il considérait comme le plus célèbre suicidé de tous les temps. Car pour lui, un suicidé, c'est quelqu'un qui choisit sa mort, son moment de mourir et sa façon de le faire, avec son intelligence d'être humain, contrairement à tous les autres hommes qui subissent la leur comme des bêtes dans la peur et l'horreur et qui ne reculeraient devant rien, pas même le meurtre ou le génocide pour en reculer l'échéance. C'est dans ce sens-là qu'il admirait le suicide de Jésus.

Mais il ne fut fait aucune allusion au Christ et Jean décida de ne pas émettre d'idées sur le sujet.

Une phrase de René le frappa et devait par la suite lui revenir souvent en mémoire: « Un de ces jours, si tu te souviens de notre conversation de ce soir, tu m'offriras une pomme. » Propos trop étrange pour ne pas cacher une richesse trop grande.

Mais Jean avait dû renoncer à gratter davantage l'hermétisme de cet adolescent aux allures frêles. Alors il avait tourné son attention vers Linda Lévesque, l'amie de René. Il remarqua ses cheveux ras accentuant la rondeur de sa tête. Et ce n'était pas là sa seule rondeur puisque toutes ses courbes se projetaient dans le sens de la circonférence parfaite. Des yeux comme des billes. Des épaules en cerceaux. Deux arcs à hauteur des hanches. Des jambes d'aspect concentrique. Lorsqu'elle enleva un gilet camoufleur, il ne fut pas surpris d'apercevoir entre les épaules deux hémisphères sans défauts.

Jean s'imagina un de ces dessins où un corps est pavoisé de cercles, mais il chassa cette image superficielle afin de se mettre à la découverte de l'âme de la jeune fille. Qu'y avait-il derrière ce sourire grassouillet? Que cachait ce front bombé?

Ses premières impressions ne firent que se préciser. La jeune fille était simple comme un cercle, entière, consciente de ses limites, adepte des choses qui avancent, évoluent, changent, roulent: dans la lignée de Mélanie mais en plus tiède et en moins complexe.

Il sortit de ses évaluations lorsque Mélanie eut proposé que l'on se mette en route pour aller au Point d'Interrogation.

— Peut-on avoir des problèmes en chemin? se demanda Guy tout haut.

— Il n'a pas encore assez neigé pour ça. Et puis nous n'empruntons que Grande-Côte et Labelle. Les deux rues sont toujours bien entretenues, fit Mélanie.

Jean proposa à Guy de former un groupe de quatre dans la Camaro. L'offre fit sourire intérieurement Mélanie.

C'est dans une discothèque exiguë, déjà remplie et enfûmée qu'ils se regroupèrent bientôt. Les multiples interférences venues du bruit, des odeurs, de l'éclairage, de la danse, des serveurs n'empêchèrent point Mélanie et Jean de se connaître davantage.

Il savait déjà qu'elle était fille unique, qu'elle fréquentait le même cégep que Guy et les autres: Manon,

Linda et René. Il apprit qu'elle était née en juin 1960, sous le signe du Cancer. Il sut qu'elle était politiquement très engagée, qu'elle avait beaucoup travaillé ainsi que ses parents à faire élire le gouvernement péquiste en novembre 1976. Cela le fit sourire quand il pensa que son père à lui s'était âprement battu à cette même élection, mais du côté libéral.

Lors d'une accalmie entre deux tempêtes de décibels, Mélanie expliqua son nationalisme, son féminisme, son gauchisme. Mais elle ne put le faire que par le biais de phrases lapidaires, de propos décousus. Non qu'elle manquât de suite dans les idées mais à cause des circonstances portant aux coq-à-l'âne.

Mélanie sut que Jean était né en 1959, à Cartierville où il avait toujours vécu. Son père était un important brasseur d'affaires, président directeur général de maintes sociétés prospères.

L'histoire du jeune homme ressemblait beaucoup à celle de Guy. Lui aussi était fils de bourgeois, mais d'une sorte plus huppée de quelques crans. Ses parents aussi faisaient partie de l'establisment libéral du Québec, du monde du patronat, de la classe dirigeante. On l'avait éduqué dans la soie, la dentelle et les excès de consommation. Il ne semblait pourtant pas en porter de profondes marques. Il n'avait pas l'air de rechercher le luxe. Ses vêtements étaient simples bien que de bon goût. Quant à sa voiture, elle datait déjà de quelques années et sa catégorie était bien endéçà des reins financiers du père Carrière.

Il y avait déjà loin entre la nuit de Noël et ce soir-là. Chacun agissait maintenant comme si l'intérêt pour l'autre avait décliné alors qu'en réalité, il avait décuplé. Mais il y a tant de cordes à jouer à la fois dans un jeu comme celui-là! Il fallait d'abord créer une camaraderie détachée pour ne pas risquer de se perdre de vue. Il fallait que l'autre sente que la partie ne serait pas facile à gagner, donc que l'enjeu était de taille. Et de façon plus immédiate, il fallait ménager les susceptibilités de Manon et de Guy: faible motif que celui-là mais fort utile à l'élaboration d'une stratégie.

En apparence, la soirée ne fit pas avancer les choses entre Jean et Mélanie. Un observateur aurait sans doute parlé de pas en arrière. Mais chacun d'eux en son for intérieur savait que ce pas était nécessaire pour préparer les deux suivants qui, eux, seraient faits en avant.

Même les embrassades de minuit s'inscrivirent dans cette ligne de tiédeur. Chacun observait l'autre, l'épiait discrètement et prenait bien soin de museler ses propres vibrations.

Mélanie se coucha à la barre du jour. Sans s'endormir. Elle eut le temps de réfléchir à sa conduite. Elle avait toujours méprisé ce petit jeu du chat et de la souris, du pêcheur et du poisson, du vendeur et de l'acheteur, ce chassé-croisé de faux-semblants, de va-et-vient dans les désirs et les promesses, dans cet inutile et hypocrite processus typiquement bourgeois de négociation pratiqué en affaires et transposé dans les relations humaines pour les mieux prostituer. Elle tâcha d'avoir honte de cette attitude marchande qu'elle avait eue depuis qu'elle avait connu Jean, mais elle n'y parvint pas.

Un merveilleux bien-être chloroformait une à une toutes ses cellules.

Elle sombra dans un profond sommeil, pressant sur son âme une magnifique fleur du mal.

•

Rosemère, le 3 janvier

Le téléphone sonna. Sa main s'agita un peu. Ses yeux s'agrandirent. Mélanie décrocha:

— Allo!

Elle avait manqué son mot et dut le répéter plus haut. Mais elle tâcha de le garder doux car elle subodorait quelque chose... À vrai dire quelqu'un.

— Mélanie?

— Elle-même.

— C'est Jean Carrière.

— Oh, bonjour! Comment ça va? s'exclama-t-elle sur le ton de la surprise.

— Je voulais savoir si tu t'étais remise de l'orgie d'avant-hier.

— Orgie? À part l'orgie de neige, je me demande...

— Oublie le mot. C'était une mauvaise entrée en matière. Autrement dit, t'as pas été malade? Paraît que Guy et René ne s'en sont pas encore remis.

— Ah, le maudit Simard! Ça me surprend pas. Il a fait les mélanges les plus indigestes.

— Tu t'imagines pas que j'ai des idées derrière la tête parce que je t'appelle, n'est-ce pas?

— Oh, mais pas du tout! Pourquoi dis-tu cela?

— Parce que j'en ai.... J'en ai une particulièrement. Tu veux la connaître?

— Dis toujours.

— Voilà: j'ai deux billets pour le cinéma et je ne voudrais pas les gaspiller. Tu m'as dit l'autre nuit que tu n'avais pas vu « La Guerre des Étoiles » et que tu aimerais bien le voir. Eh bien, il passe à Laval et il se trouve que j'ai deux bons billets...

— Tu as gagné un concours ou quoi?

— À vrai dire, pas tout à fait...

— Depuis quand les billets de cinéma sont-ils vendus à l'avance?

— Je ne les ai pas en mains. Je les aurai ce soir...

— Je suppose que tu vas les acheter au guichet?

— C'est à peu près ça.

Il s'était senti un peu mal à l'aise dans ses dernières phrases et Mélanie voulut en profiter un peu malicieusement. Elle ne rétorqua rien aux derniers mots de Jean. Il ne pouvait voir son sourire moqueur et la tension monta sur la ligne. Ce silence dont la longueur n'eût rien signifié dans un face à face devenait de plus en plus énervant pour lui. Il finit par le rompre gauchement en se dérhumant:

— Je m'excuse, j'ai un chat dans la gorge.

Elle répondit avec une touche d'ironie:

— Ce sont des choses qui arrivent.

Il prit une profonde respiration et se reprit en mains:

— Alors, qu'est-ce qu'on fait des billets?

— Guy sait-il que tu m'invites au cinéma?

—-Hum... Non.

— Est-ce que ça ne serait pas plus honnête de lui dire d'abord?

— Et pourquoi? Nous ne sommes pas de cette génération où les hommes sont propriétaires des femmes.

— C'est vrai. Mais une fois qu'on en est bien conscient, ne vaut-il pas mieux jouer franc jeu?

— Guy fait ce qui lui convient. Et moi aussi. Nous

sommes des êtres humains autonomes. Pas toi? Pourtant, je te croyais très libérée.

— Au fond, c'est toi qui as raison. Mais à la première occasion, l'un de nous deux parlera à Guy.

— Ces mots-là veulent dire que tu acceptes l'invitation? C'est Travol qui va en être surpris.

— Travol?....

— Oui, Travol, mon chien. Je lui ai raconté que je t'inviterais au cinéma et il s'est moqué de moi. Il m'a dit que je me riverais le nez. Des choses semblables. Jaloux sur les bords. Comme les vieux. Les chiens: tous les mêmes... toujours les mêmes. Ils ne changent pas, eux. Comme les vieux.

— Pourquoi Travol? Un lien avec Travolta?

— Exact! Il lui ressemble: même voix, même démarche, même regard...

— Tu es terrible... Pour en revenir au cinéma, c'est d'accord, mais en camarades.

— La camaderie, c'est ce qu'il y a de plus solide en ce monde.

•

Québec, le même jour

— Allo!

— Le mot se transforma en une longue expiration de fumée bleue. Tout le corps grouilla nerveusement comme pour se débarrasser à mesure d'un stress total. L'homme avait les traits tirés, fatigués, les yeux alanguis, le visage émacié. Il y avait cette maudite lourdeur là, en plein centre, juste au creux de l'estomac. Et elle n'avait pas lâché depuis des mois. Il y mit sa main libre et entreprit un mouvement rotatif en exerçant une légère pression du bout des doigts.

La douleur commença à s'estomper en même temps que le nuage bleu dont l'odeur s'incrustait inutilement à un environnement depuis longtemps empuanti par des émanations lourdes. À sentir, on eût cru que le bureau était fabriqué de tabac durci, que les livres de la bibliothèque étaient des boîtes de cigares, que les fibres du tapis elles-mêmes purgutaient de goudron et de nicotine.

— C'est Claude, dit-on à l'autre bout du fil.

— Ouais, jeta négligemment le fumeur.

— Je ne t'ai pas donné signe de vie avant-hier sachant très bien que tu étais inondé d'appels. Et en plus, comme je sais que t'es pas fort sur les vœux du Nouvel An...

— Pour ce qu'il y a de sincérité là-dedans...

— Toujours est-il qu'on s'était entendus pour se parler le plus vite possible après les Fêtes et avant la fin des vacances des députés. Me voilà!

— Tu dois bien te douter pourquoi je voulais te parler?

— Oui... C'est qu'on ne peut plus reculer. C'est qu'il faut bien plonger cette année.

— En effet! On va réunir tout le groupe au début de la semaine prochaine et on va prendre des décisions.

— La date, la question, la stratégie?

— La stratégie, la date, la question.

— Tu veux que je convoque tout le monde?

— Pour lundi. J'ai la liste. Si tu veux noter.

•

Laval...

Ils retournaient vers Rosemère sur une route redevenue noire. Les résultats de la tempête du Jour de l'An bordaient la chaussée. En gris, en boueux, en sel. Déjà !

Malgré cela, Mélanie n'avait pas envie de parler de pollution. Il fallait bien qu'on l'enlève, cette neige. Ou bien s'enterrer et mourir le quart de son temps. Ne pas circuler ? Ne pas atteindre les buts ? Quoi donc ? Puisque tout est pollution, quoi faire, quoi dire ?

— Me suis-je conduit en bon camarade ? demanda Jean d'un ton espiègle.

— Si, si, si. Et je t'en remercie.

— Comment as-tu trouvé le film ?

— Drôle.

— Drôle ?

— Hum... hum... Comique.

— Je ne t'ai pas entendue rire.

— Les choses drôles ne font pas nécessairement rire.

— Il se mit à rire. D'un rire excessif, composé.

— Tu te moques de mes réflexions ? demanda-t-elle.

— Si.

— Ça n'est pas très gentil.

— C'est ma façon de te dire que tu es une fille plaisante.

Elle sourit un peu. Il y eut un bref moment de silence.

— Et alors, ce film, comment l'as-tu trouvé?

— Mais je te l'ai dit: drôle.

— Et comment ça?

— Parce qu'il est le résumé, la synthèse de tout le cinéma américain, donc de toutes les valeurs américaines, donc de toutes les folies américaines.

— Tu m'expliques.

— C'est que le tableau n'est pas encore complet dans ma tête. Mais les jonctions commencent à se faire. Voyons un peu... Disons tout d'abord qu'à la sauce science-fiction, on a assisté à un film de guerre; c'était assez évident. Mais c'était aussi un film de Tarzan. Il y avait même la liane. Aussi de cape et d'épée. D'amour. D'aventures. D'horreur. De monstres. Une seule chose absente: la réalité de l'âme humaine, la psychologie. C'était l'éternelle bataille du bien et du mal. Le bon: beau, blanc, blond. Le méchant: noir, stupide et laid. L'indécis qui finit par pencher du bon bord. Les jeunes en général meilleurs que les vieux. La polarisation du bien et du mal. Rien de bon chez le méchant et rien de mauvais chez le bon. La femme: passive. Destructions orgiaques, galactiques. En bref: le summun de la connerie. Exactement ce qu'il faut pour plaire aux gens.

— Et moi qui allais te dire que j'avais aimé ça.

— Moi aussi, j'ai aimé. J'ai aimé la couleur, l'action, les décors, les costumes... et l'indigence de l'histoire. Ce sont les choses les moins plausibles qui nourrissent le mieux nos rêves. Tu te rappelles de King Kong? Imagine donc! Un singe géant amoureux d'une femme. Le sot qui prendra le prétexte contraire pour un film, soit un homme amoureux fou d'une guenon naine, fera faillite et sera même traité de pervers.

— Ce que tu peux aller loin dans tes réflexions sur ces choses-là ! Je ne me pose jamais des questions pareilles. Je bouffe la culture qu'on veut bien me cuisiner à Radio-Canada ou à Hollywood et c'est tout.

Elle posa sur son compagnon un regard inexpressif comme si elle cherchait à ajuster froidement les pièces d'un puzzle dans sa tête. Un puzzle qui une fois assemblé serait le portrait de l'âme de Jean.

Il stoppa son auto en plein centre de la devanture de la maison, au même endroit que l'avant-veille.

Elle réfléchit un moment avant de lui offrir d'entrer. N'était-ce point un pas de trop pour une première rencontre entre camarades ? Et puis non justement, décida-t-elle, ça fera plus copain de terminer la soirée devant un café, avec les parents pas loin.

Elle le leur présenta.

Le lendemain, elle ne put s'empêcher de glisser un mot à son sujet afin d'obtenir une opinion de leur part.

— Il est beau, dit simplement sa mère.

— Il a l'air de bien aimer les sports ? questionna son père avec un sourire de satisfaction.

•

St-Sauveur, le 4 janvier

C'est l'une des meilleures pistes de la région de St-Sauveur. Elle furète dans les recoins les plus charmeurs. Une pente douce, et voilà que la flèche de l'église resurgit au loin derrière le boisé blanc. Un virage raide et c'est le gros nez gris de la montagne qui renifle l'air bleu du jour tombant. Une courbe enjôleuse et l'on aperçoit une petite fumée blanche, discrète et tranquille trahissant un mignon chalet suisse accroché à flanc de colline. .Un arrêt en piste et c'est la suspension du temps, la fixation d'une ivresse. Se croisent en un délicieux duel les bras pointus des bouleaux secs et les derniers rayons obliques d'un soleil frais. Des gouttes de brillance allument les aiguilles des grands pins. Il fait bon et froid.

Les corps s'y dépensent pour mieux se rebâtir.

Mélanie avançait devant, heureuse et douce comme au temps de ses dix ans. Autour d'elle: un univers d'espérance. En elle: une neige sensuelle.

Les skis chuintaient discrètement sous ses pieds. Pieds alertes, maîtres de ses pas. Sur les silences des temps d'arrêt, une musique suave se glissait furtivement jusqu'à son oreille: c'est Jean qui sifflotait une ballade claire.

Il était là, tout près, à quelques pas derrière.

Aucun climat au monde n'est meilleur conducteur de vibrations que la froidure québécoise. C'est ce que pensent ceux pour qui l'amour est né dans le gel, sous un ciel glacial. Le froid rapproche les amoureux l'un de l'autre en même temps qu'il les isole du reste du monde. Sous zéro, les corps se recherchent, car ils veulent trouver chaleur et sécurité. C'est d'une logique désarmante et d'un naturel total. Pas d'interférences, pas de moustiques.

Aucune ombre n'était venue ternir la joie de la jeune fille. De toute la journée, elle ne s'était posé aucune question. Elle ne s'était même pas demandé depuis combien d'années elle n'avait pas connu cette sérénité totale, cette euphorie pure, cette fabuleuse extase.

Sa raison prenait un repos qu'elle aurait dû lui donner bien avant. C'est pourtant seulement plusieurs jours plus tard qu'elle devait s'adresser ce reproche.

Le jour avait presque fini de tomber quand ils rentrèrent au chalet des Carrière. Ils ressentaient une heureuse fatigue, juste bien dosée pour leur faire goûter au maximum les joies de la relaxation lorsqu'ils s'écrasèrent sur un moelleux divan dans la vaste salle-véranda.

Ils se parlèrent de la beauté de l'environnement avec de longs silences entre chacune de leurs phrases. Puis Jean fit une proposition :

— Et si nous allions manger notre pizza ?

— Je meurs de faim. Mais c'est d'une mort douce. Toute faite de désir. Ce sera la meilleure pizza que j'aurai jamais mangée.

Il fit passer Mélanie dans la petite salle à manger attenant à la cuisinette. Le chalet était doté de tout le confort moderne, y compris le chauffage électrique, le réchaud à micro-ondes, les meubles de style. Dans la salle, il y avait un immense foyer, une chaîne stéréophonique d'une sonorité exceptionnelle et même un orgue parmi les meilleures vendues chez Simard Musique.

— Tu boiras bien quelque chose avant le repas ? Une bonne petite bière bien fraîche ?

— Puisque c'est une pizza qui s'en vient, j'aimerais... Est-ce que tu as du vin pour accompagner la pizza ? Du vin italien ?

— Certainement. Du Chianti.

— Alors j'en prendrai comme apéro.

— Bonne, bonne, bonne idée.

— Tu veux que je t'aide à préparer tout ça ?

— Bonne, bonne, bonne idée ! Je suis le petit

gars à sa maman pas trop habitué dans une cuisine. Je vais mettre ce qu'il faut sur le comptoir et toi, tu vas dresser la table. Et s'il manque quelque chose, tu hurleras. O.K. ?

— Pour commencer, il faut s'occuper de la pizza...

•

Le repas était terminé, la cuisine remise à l'ordre. Le couple était retourné au divan. Grâce aux bons offices de Jean, le feu crépitait dans l'âtre. La seule lumière éclairant la pièce venait de la flamme car toutes les lampes avaient été éteintes.

C'était leur deuxième rencontre et il avait tenu sa promesse de sortir en bonne camaraderie. Car Mélanie l'avait bien spécifié en acceptant d'aller à cette randonnée de ski de fond.

Il fit bouger les bûches puis reprit place nonchalamment à l'extrémité du divan dans une position qui lui permit de garder dans son champ de vision sans devoir tourner la tête, et les flammes et le visage de sa compagne.

Elle n'était pas la première à faire partie de ce décor. Il avait fait l'amour avec quelques-unes sur ce divan, suite au même scénario : randonnée dans la montagne, relaxation, repas, vin, feu de foyer.

Mais cette fois-là, il y avait le pacte de la camaraderie. Ce qui voulait dire en clair : pas d'amour physique. Cela avait peu d'importance en cet instant. Il était magnifiquement comblé par la seule présence à ses côtés de la jeune fille. D'autant plus que Mélanie était différente des autres. Tout à fait.

La scène portait au silence. Il en profita pour détailler son amie.

Elle était assise bien appuyée au dossier du divan, face au feu, les cheveux regorgeant de reflets soyeux.

Mais c'est dans ses yeux qu'il plongea son regard et son âme tout entière et il le fit avec un goût incommensurable de s'y noyer. Quelle brillance, quel éclat, quelle fascination dans ces yeux-là! Qu'ils chatoient. Tendres, un brin espiègles... Et d'une chaleur! Perles, saphirs, émeraudes, diamants, rubis: ils le frôlent de toutes les nuances.

Quelque chose naît au fond de son coeur: une force prodigieuse réunissant à la fois un immense désir d'abandon et une volonté puissante de conquête.

Alors il cherche à éviter les yeux de la jeune femme. Pour ne pas que la tête lui tourne trop... Mais il a du mal à se libérer de leur ondoyante magie. Une pluie fine de douces étincelles en jaillit sans trêve et va mouiller délicatement toutes les choses où ils se posent. Il s'y abreuve, mais il doit en refuser l'ivresse.

Ces joyaux aux reflets changeants sont un supplément exquis offert en sus par la beauté de la jeune fille. Elle pourrait séduire les yeux fermés. Et sans même avoir besoin de sourire. Il ne trouve aucune ombre à l'harmonie de son visage. Que de la grâce! Que de l'équilibre!

Et ce sourire si clair, qui vole partout, folichon, indiscipliné, sans se faire prier, et qui va caresser les yeux, et qui va remuer les coeurs, et qui met en confiance, et qui chasse la peur et les inquiétudes chez ceux qui savent le recueillir en leur coeur.

Et ce corps langoureux qui se laisse deviner sous les vêtements serrés! Il rêve d'elle dans une superbe robe de soirée, toute blanche, à décolleté un peu osé.

Et ces hanches qu'il a enveloppées d'admiration tout l'après-midi sur la piste.

Quand elle se lève à son tour pour remuer les bûches, il boit à son image: fleur de jeunesse, fleur de printemps, fleur de volupté.

L'élan formidable qui s'était emparé de lui quelques minutes plus tôt revint plus grandiose encore. Il comprit que ça se situait bien au-delà de l'unique désir de possession physique et que ça n'avait rien à voir avec l'attrait d'un simple rapport sexuel. Ça lui apparut net, clair: c'était cela. C'était l'irrésistible aspiration à la fusion totale de leur chair: l'ultime union de deux êtres humains.

Dès lors, le pacte de la camaraderie lui parut une fadaise. Il se leva, contourna le divan, s'approcha d'elle par derrière. Ému, tremblant, il se pencha, fit une boucle de ses bras au-devant d'elle, appuya ses mains sur les épaules adorables.

Elle tressailit.

— Est-ce une attitude de camarade? demanda-t-elle.

Il interpréta l'immobilité de Mélanie, sa voix chevrotante et surtout son frisson comme une douce invite à briser le pacte. Il colla sa joue contre celle de sa compagne et murmura:

— Faisons l'amour.

Elle se sentit dégringoler d'une hauteur vertigineuse à une allure folle et désespérante. Le charme venait d'être rompu. Elle se sentait comme une enfant qui vient d'assister à une séance de magie et qui subitement découvre le truc du magicien.

Le mâle en chaleur avait tendu ses filets et elle était venue au bord de tomber dans son petit piège bourgeois. Il avait tout combiné pour éveiller sa sentimentalité, pour abuser de sa féminité. Il était comme tous les hommes: hypocrite et phallocrate, centré sur une seule préoccupation, l'éjaculation.

Comment avait-elle pu être assez folle pour croire que Jean pût être différent? Il était plus beau que les autres, plus mystérieux, plus riche, plus gentil, mais tout cela n'avait été mis qu'à un seul service: celui de la satisfaction de son besoin primaire... primitif.

Elle n'avait aucun préjugé contre les jeunes qui font l'amour, mais pas dans ce contexte de partie de chasse où la femme est une proie que l'on doit appâter dans une mise en scène fallacieuse.

Guy avait fait des avances aussi, mais directes, honnêtes, sans détour. Cette comparaison la fit bondir. Elle s'arracha des bras chauds devenus trop lourds et trouva refuge près du feu. Elle s'appuya à la cheminée, persifla:

— Je te félicite pour le respect de ta parole. Tu es vraiment du genre à qui l'on peut faire confiance.

Il revint les deux pieds sur terre et commença à bredouiller des excuses. Elle l'interrompit:

— C'est comme ça que vous faites chez les bourgeois? Sache que chez les ouvriers, ce n'est plus à la mode de se tromper de cette manière.

Il s'approcha doucement, lui mit la main sur l'épaule, balbutia:

— Je n'ai pas voulu te tromper. Je ne t'ai pas violée, je t'ai seulement proposé de briser notre pacte d'un commun accord. Qu'est-ce qu'il y a de si terrible là-dedans? Nous avons passé une journée délicieuse et j'ai cru que c'était la bonne façon de la terminer plus merveilleuse encore. Je te regardais devant le feu et je me suis senti bouleversé. Je n'ai pas désiré ton corps pour ton corps, pour soulager le mien, mais pour réaliser avec toi une sorte de... de fusion totale. Si j'avais voulu ne faire que l'amour aujourd'hui, j'aurais choisi une fille ordinaire, ayant accepté d'avance. Pas toi avec qui je savais qu'il ne se passerait rien... rien de physique. Mélanie, écoute-moi. Je me sens bien avec toi et ça, avec le partage de nos corps ou pas.

— Alors pourquoi en est-il question quand il était clairement établi qu'il ne se passerait rien?

— Je te l'ai dit: pour la fusion totale.

— La fusion totale mon cher, c'est pour les gens qui sont en amour.

— Je le suis.

Elle haussa les épaules.

— Je n'en crois rien.

— Et pourtant, c'est la vérité.

Elle cria:

— Tu mens. Je suppose que tu vas me raconter la vieille histoire du coup de foudre?

— Pourquoi l'amour ne pourrait-il pas naître et grandir rapidement?

— Parce que ça ne se peut pas. Il faut commencer par connaître quelqu'un avant de l'aimer...

— Et qui dit que le contraire n'est pas mieux? Les gens qui s'épousent se connaissent bien moins que les gens qui divorcent, non?

Elle secoua la tête.

— Je ne veux pas raisonner sur tout ça. Tout ce que je sais, c'est que la journée avait été belle et que tu l'as gâchée.

— Tu veux que je te dise? Je commence à croire que tu te bats contre l'amour. Et à coups de raisonnement et de préjugés, en plus. Mélanie, on ne lutte pas contre l'amour, on s'en laisse envahir. On le vit, on le vibre quand il passe. Avant qu'il ne soit trop tard. Tout de suite. Regarde comme les gens de quarante ans sont secs. Ne va pas croire que nous serons mieux qu'eux. Alors pourquoi freiner quand c'est le temps de vivre à fond?

— Jean, est-ce que tu voudrais me faire plaisir? Veux-tu que nous reculions à il y a dix minutes et que nous effacions tout ce que nous venons de nous dire pour renouer avec l'image de deux copains devant un bon feu de bois après une heureuse randonnée en forêt?

— Je peux accepter de le faire, mais ça ne sera qu'un jeu. Ce qui est arrivé est ineffaçable. Le cœur, c'est pas un tableau noir.

Elle retourna s'asseoir pour bien montrer qu'elle le voulait, son retour en arrière. Jean obéit à son attente et reprit place au même endroit que plus tôt. Mais il riva ses yeux à la flamme. Ce n'est que longtemps plus tard qu'il regarda à nouveau le visage de son amie.

Des larmes tranquilles roulaient doucement sur les joues de Mélanie. Cette image lui fit mal au cœur. Il ouvrit la bouche pour dire quelque chose, mais il se ravisa et se contenta de souffrir en silence.

La glace ne fut rompue qu'une demi-heure après lorsqu'elle dit:

— Où est le téléphone?

— Dans la cuisine, sur la petite table.

— Je vais avertir mes parents que je ne rentrerai

pas ce soir. Ton invitation à coucher ici tient-elle encore?

— Évidemment!

— En camarades?

— En camarades... Et cette fois, tu peux me faire confiance.

•

Elle n'avait pas mal dormi puisque la soirée lui avait permis de commencer à apprivoiser ses frayeurs. Néanmoins, elle s'éveilla tôt, fit sa toilette discrètement et se rendit à la cuisine pour explorer les racoins à nourriture.

Lorsqu'elle entendit Jean se lever, elle entreprit de préparer le petit déjeuner. Elle pensa que ce n'était pas pour lui faire plaisir, mais plutôt par goût de s'occuper à quelque chose.

Les oeufs chantaient dans la poêle quand Jean parut en sifflotant dans l'embrasure de la porte.

— Je me suis emparée des moyens de production, dit-elle en souriant.

Il se tint debout, les bras croisés, admiratif, aspirant l'air à longues bouffées. Ses yeux pétillèrent.

— Ça sent bon! s'exclama-t-il.

— Oeufs à la Mélanie. Rôties à la marmelade. Café à la... à la chacun pour soi.

Le visage de l'adolescente resplendissait de soleil. Il lui arrivait de clore ses yeux pour ne pas se soûler trop de la beauté du matin. Il lui arrivait aussi de les jeter au loin, ses beaux yeux turquoise, afin d'embrasser la montagne qui, paresseusement dans sa quiétude matinale, n'en finissait pas de respirer les dernières vapeurs de la nuit.

— La journée sera magnifique. Encore mieux qu'hier, fit-elle en trottinant des armoires au comptoir.

— Bonne pour combien de milles aujourd'hui?

— Aujourd'hui, c'est toi qui vas prendre les décisions. Je te suivrai à la trace.

— En tout et partout?

Elle pencha la tête, sourit un brin et jeta, taquine:

— En camarades.

Une heure plus tard, ils étaient sur la piste, avançant allégrement en direction de la montagne. Le paysage défilait sans se presser, sûr de son charme, fier de sa puissance, fort de sa volupté.

Contrairement à la veille, Mélanie réfléchissait, tantôt observant le panorama, tantôt toisant la démarche volontaire de son compagnon. Elle se reprochait d'avoir été injuste et violente à l'égard de Jean la veille. Elle l'avait accusé d'être riche, beau, plaisant. Elle lui avait fait subir l'odieux de ses peurs. Elle pensa qu'au fond de lui-même, il avait sans doute été très déçu d'elle, de son agressivité inutile. Puisqu'elle ne se sentait pas encore prête à partager son corps avec un homme, pourquoi n'avait-elle pas simplement été ferme sans crier au drame? Elle se dit que Jean n'était tout de même pas coupable du grandiose de la nature, que si le romantisme du chalet était un vice, elle ne devait pas le lui imputer comme une faute. Mais elle restait convaincue qu'il avait forcé la note en parlant d'amour physique.

Elle nota soudain qu'une distance plus grande la séparait de lui. Il s'était laissé aller dans une pente pas très longue mais assez prononcée et s'était arrêté beaucoup plus loin, à une centaine de pieds de deux arbres en Y situés juste à côté de la piste.

Une vague inquiétude effleura l'esprit de la jeune fille lorsqu'elle aperçut les arbres. Elle se sentait trop novice sur des skis pour frôler sans une certaine appréhension des obstacles dangereux. Puis elle se dit qu'une piste de ski de fond ne pouvait logiquement comporter de danger, ce sport étant par définition tout à fait sécuritaire. Et elle s'engagea dans la pente.

La vitesse augmenta au même rythme que sa nervosité. Au bas, il lui faudrait tourner. Oh! d'à peine quelques degrés, mais il faudrait le faire. Comment s'y prendrait-elle? Laisser porter son poids sur le pied gauche? Laisser un ski devant l'autre? Forcer des talons dans le sens contraire? Ne rien faire et simplement se laisser entraîner par la piste?

Elle ne se souviendrait pas du geste qu'elle posa, mais il fut une erreur. Sous les yeux effarés de Jean, elle fonça droit sur la paire d'arbres. Tout ce qui s'était passé entre l'image des arbres fonçant sur elle et sa position affalée dans la neige, le pied gauche tordu dans le creux du Y, se résumait en un énorme coup dans la colonne, à mi-dos.

Jean accourut. Elle sanglotait:

— J'ai sûrement quelque chose de brisé dans la colonne. Je ne me sens plus la force de me relever ni même de bouger.

— Non, non, non, non, tu n'as pas subi un choc assez violent pour te briser quelque chose dans la colonne.

Il lui défit ses attelages, dégagea ses pieds, la fit se relever à force de bras.

— Tu vois que tu n'as rien au dos. Autrement, tu ne tiendrais pas debout.

— Je crois que c'est ma cheville, dit-elle en grimaçant de douleur. Je ne peux me porter sur mon pied.

Elle essaya à trois reprises, mais la souffrance devenait intolérable chaque fois que la pression augmentait sur le pied gauche.

— Je vais laisser nos skis ici et t'aider à marcher jusqu'au chalet.

Tant bien que mal, ils parvinrent à se rendre. Elle s'écrasa sur le divan, le visage blême, épuisée, souffrante. Il entreprit aussitôt de la déchausser après l'avoir aidée à déposer sa jambe sur un petit tabouret.

Elle ne put retenir ses larmes quand il enleva la botte malgré toutes les précautions qu'il avait prises. Elle souffrit moins quand il retira son bas. Puis il la toucha avec fermeté dans le dos, tout le long de la colonne jusqu'aux reins afin de la rassurer tout à fait. Ce qui réussit.

Ensuite il prépara un plat d'eau et de glace dans lequel il trempa des serviettes dont il entoura le pied déjà énorme.

Il tâcha d'injecter à ses doigts toute la douceur possible, mais il ne parvenait pas à lui éviter de violentes douleurs que Mélanie s'efforçait de ne pas laisser paraître. Sans trop de succès.

Elle aurait pu se retenir de pleurer, mais le coeur aussi lui faisait mal. Et elle ne désirait plus se renfrogner comme elle l'avait fait la veille à ce même endroit.

Elle regardait Jean qui travaillait avec une infinie tendresse et la douleur s'amenuisa quelque peu.

Un rêve fou, à cause du moment, vint darder son coeur en même temps que la douleur : elle aurait voulu qu'il le prenne toute entière. Quelque chose lui dit de noyer ce rêve, mais elle le garda bien en elle, le cajola sous ses paupières scellées et brûlantes.

Puis elle rouvrit les yeux, libéra ses larmes encore et, à travers elles, caressa du regard l'exquise broussaille sur la tête de Jean.

Elle ouvrit la bouche et un formidable « je t'aime » resta accroché juste derrière ses lèvres.

Jean continuait de travailler. Lui aussi en silence.

•

Westmount, le 6 janvier

L'escadrille se déplaçait en volée d'outardes. C'était contre toutes les règles de l'art. Un art dont l'instinct couve toujours au coeur de l'homme. Un art que l'on peut sentir quand l'homme est enfant et qu'il fait des jeux. Un art sérieux. Le plus sérieux des arts. Mais un art au sujet duquel il n'y a que trop peu de musées. Un art aussi grandiose que mystérieux : celui de la guerre.

— Les objectifs : ce pont sur l'Ems à quelques milles de la frontière hollandaise. Et en cas de succès rapide, le reste des chargements de bombes sera déversé sur cette usine de matériel militaire située là, à Meppen.

C'est dans le plus pur accent britannique que le commentateur du film avait présenté les objectifs du groupe de bombardiers anglais qui venaient de quitter leur base pour une mission au-dessus de l'Allemagne.

Le film avait été réalisé quelques semaines après la fin de la guerre et relatait les hauts faits de la septième escadrille du groupe Skagness dont les pilotes y compris le chef étaient tous de jeunes Canadiens. Par une chance inconcevable, le groupe avait accompli plus de douze missions en fin d'été 44 et chaque fois, l'objectif avait été atteint et détruit. Mais c'est dans l'absence de pertes que résidait la chance inouïe de la petite formation. Pas un seul bombardier n'avait été descendu ni même touché par la D.C.A. allemande, et à peine avaient-ils été taquinés une ou deux fois par les avions chasseurs de la Luftwaffe.

À cause d'un imbroglio au niveau du commandement, comme cela était monnaie courante en Angleterre à l'époque avec toutes ces troupes venues de partout, le plan de vol de la première mission avait été confié au jeune chef d'escadrille, le lieutenant John Osborne.

Le jeune homme avait cru qu'il s'agissait là d'une responsabilité exceptionnelle attribuable à ses succès à l'entraînement et il s'imagina pouvoir gagner la guerre tout seul par l'élaboration d'une stratégie différente. Et c'est ainsi que, contre toutes les règles et même contre toute logique, il avait mis au point ce plan comportant un maximum de risques et qui consistait à faire voler les appareils en formation serrée et dans le style d'une pointe de flèche.

Son plan reposait sur trois principes. Il partait d'abord du fait que les projecteurs et canons de la D.C.A. ne pouvaient balayer le ciel que dans deux directions formant ainsi un continuel quadrillage. Or, puisque la formation des appareils se déplaçait en triangle, en vertu de la combinaison des figures géométriques ainsi formées, les chances de pertes s'en trouvaient réduites au minimum. Deuxième fait: un avion repéré va attirer sur lui une concentration de tir mais pas de projecteurs et au contraire éloigner la plupart d'entre eux qui, logistiquement, chercheront ailleurs, beaucoup plus loin. Et troisièmement, durant le vol de jour, les chasseurs allemands n'oseraient jamais s'exposer à un feu aussi serré, leur tactique étant plutôt d'attaquer à plusieurs un seul bombardier à la fois, ce que ne permettait pas la formation en V privilégiée par Osborne.

Le jeune Canadien avait fait sourire ceux à qui il avait exposé ses théories dès après sa première mission. Les officiers supérieurs s'étaient dit à travers des clins d'œil complices qu'après tout, les pilotes n'étaient pas de vrais Anglais même s'ils s'en donnaient tous les airs. Aucun problème non plus par rapport aux avions avec l'arrivée massive d'appareils américains à côté desquels les vieux Lancaster anglais faisaient figure de grands-pères. L'expérience était farfelue, mais elle donnait déjà lieu à des paris sur le nombre d'appareils qui reviendraient à la base.

Feu vert avait donc été donné à la formation des pilotes canadiens et ils avaient pu effectuer douze autre missions fructueuses sans aucune perte avant que l'affaire s'ébruite et qu'un écho en parvienne aux quartiers-généraux de la R.A.F. à Londres.

Baguette pointée sur une carte militaire, le commentateur traça la route choisie par Osborne pour la mission relatée dans le film.

Les assistants à la projection: douze hommes dans la soixantaine. Tous l'air bien portant. Tous nostalgiques. Depuis plus de trente ans, à chaque six janvier, ils s'étaient réunis chez l'un ou l'autre d'entre eux pour se remémorer ce qu'aucun ne connaîtrait jamais autrement que par le biais de faits d'armes: la victoire totale. Écraser l'adversaire et avoir raison de le faire; tuer en toute justice; démolir, détruire pour une cause dite juste et bonne. Quelle inoubliable frénésie que celle du combattant!

Ce jour-là, la projection avait lieu chez le propriétaire d'un grand quotidien anglophone de Montréal, le colonel John Osborne, homme qui avait adopté dans la conduite du *Montreal Daily News* une ligne de pensée semblable à celle qu'il avait eue à la tête de la septième escadrille. Il avait fait différent, il avait osé n'être pas comme les autres et, la chance aidant sans doute encore, le petit journal était devenu un grand quotidien.

Sur l'écran, les bombardiers avaient atteint leur vitesse de croisière au-dessus de la mer du Nord. Le narrateur parla du rayon d'action des appareils, de leur vitesse, de la formation des pilotes, de leur origine. Ces paroles bourdonnaient à l'oreille des assistants. Ils ne les écoutaient pas. Ils les connaissaient par coeur depuis longtemps. Ils étaient fascinés par un autre bourdonnement: celui des moteurs des Lancaster.

— «Alle für einen!» Tel était le slogan des équipes de bord formées, outre des pilotes canadiens, d'Australiens et d'Écossais.

Osborne avait tenu à faire graver ces mots allemands sur chaque appareil. Ce furent les seuls qu'il ait jamais réussi à retenir dans une langue étrangère, si ce n'est le mot argent qu'il devait savoir toute sa vie en langue française.

La nuit venait de tomber quand le chef d'escadrille amorça un long virage, suivi de toute la formation. Direction: franc sud.

— Comment peuvent se sentir des hommes entourés de tonnes d'explosifs et qui approchent des premières lignes de l'infernale D.C.A. allemande?

Les assistants bougèrent quand sur l'écran apparurent au loin les premières lumières de la côte.

— C'est la neuvième mission sans pertes. Voilà un autre raison de s'inquiéter. Car tôt ou tard, la chance n'est pas au rendez-vous. Mais, est-ce bien de la chance ou bien ces succès ne sont-ils pas dus au flair et aux stratégies du leader de la formation, le jeune lieutenant de l'armée de l'air, John Osborne?

Un éclair de dureté passa dans le regard du colonel. Ou bien n'était-ce que le reflet d'une image plus brillante sur l'écran? Il était un homme sans âge. Cheveux roux, ras. Tête oblongue comme un ballon de football. Quelques fils blancs ici et là, mais très peu. Il portait une mince moustache rouquine aux extrémités frisottées. Quand il parlait, ses yeux rapetissaient comme quelqu'un qui réfléchit profondément et pour qui c'est un effort pénible.

Après l'épopée de l'escadrille sept, il était passé chez les parachutistes par goût de participer à l'invasion finale sur le terrain et aussi parce qu'on avait un pressant besoin de paras. Et en 1945, il avait vécu ce qui se passait au sol. Il avait tout vu de la guerre. Des villes entières détruites. Des morts-vivants dans des camps. Des familles divisées. Des orphelins. Des corps d'enfants brûlés. D'autres à la cervelle éclatée. Des femmes enceintes au ventre déchiré.

Mais c'était ça, l'invasion; mais c'était ça, la victoire. Et c'était beau, grand et noble. Et on le décorerait peut-être pour y participer. Car l'horreur et la folie ne pouvaient être que dans un seul camp : l'autre, l'adverse.

— Après plusieurs minutes dans l'enfer du tir en provenance des lignes de la D.C.A., l'escadrille sept, intacte, se dirige maintenant vers ses objectifs...

Lors du tournage du film, treize des quinze pilotes de l'épopée de 44 s'étaient retrouvés à la même base qu'à l'époque. Les deux absents dormaient en Allemagne, le front sous une croix blanche. On s'était raconté sans intérêt majeur ce qui s'était passé pour chacun depuis le temps héroïque. Car ce qui faisait vibrer les coeurs, c'était le souvenir des glorieuses missions de l'escadrille sept.

L'on s'était promis de se revoir et rendez-vous avait été fixé pour le six janvier 1946 à Ottawa. Tous Ontariens ou Québécois, il ne leur avait pas été trop difficile de se créer une tradition de cette rencontre du six janvier. Les absences avaient été rares. Les réunions avaient été une façon de rester accrochés à leur jeunesse. Mais voilà que cette année, il y avait eu deux rencontres. En avril, douze s'étaient retrouvés pour accompagner le treizième à son dernier repos. À la fin des obsèques, l'on s'était rendu compte qu'il avait eu un remplaçant froid, pesant, implacable : le temps.

Lorsque la projection fut terminée, le colonel laissa les assistants dans l'obscurité pendant une bonne minute. Quand il ralluma les lumières, des mouchoirs regagnèrent des poches, des mains quittèrent des visages, des sourcils bougèrent discrètement.

Alors le colonel se leva. En silence. Il se donna la main droite avec la gauche, serra et dit très haut avec une immense vibration dans la voix: « Alle für einen! »

Tous les assistants se levèrent et répétèrent les mêmes mots et les mêmes gestes.

•

Lac Bleu, le 8 janvier

— Nous sommes réunis ici pour les Québécois, pour le Québec.

La vingtaine d'occupants d'une longue table applaudirent sans excès, conditionnés à le faire à chaque phrase dont la résonance était plus nationaliste que les autres. Le président de l'assemblée expulsa une longue bouffée bleue et poursuivit:

— Dites-vous que vous êtes un peu comme les cardinaux en conclave, que vous ne quitterez pas cet endroit sans avoir décidé d'une date pour le référendum, sans avoir mis au point une stratégie au moins pour les premiers milles, là, et sans avoir ceinturé toute la question de la question.

Les premiers mots de la page historique que le Québec va écrire cette année, les circonstances font que c'est nous autres ici, au lac Bleu, qui allons les coucher sur papier. Puis ça sera pas pour les faire dormir. La première chose qu'il faudrait déterminer, là, c'est par quel bout on va commencer. Par la date, par la question ou par la stratégie? C'est entendu que chacune dépend des deux autres. Quant à moi, j'ai

(« Alle für einen: tous pour un)

mon idée sur le bout par lequel il ne faut pas commencer et il s'agit de la question. J'sais pas ce que vous en pensez. En d'autres mots, je pense qu'il va falloir cogiter sur la date et ensuite bâtir une stratégie en fonction de cette date-là. Ou encore établir la stratégie de laquelle la date sera l'élément final. Mon discours ne sera pas plus long que ça. À vous autres la parole. Quelqu'un a quelque chose à dire? Oui? Claude? À toi.

Le président retomba négligemment sur sa chaise et tira sur sa cigarette comme s'il en avait été sevré depuis des mois.

— Je pense comme toi en ce qui concerne la question. C'est par ça qu'il faut finir...

On l'interrompit:

— En bons démocrates que vous êtes, permettez-moi de ne pas être d'accord. Les gens disent bien plus facilement oui l'été que l'hiver. C'est comme ça. J'pense pas qu'il y ait des études là-dessus, mais faut tenir compte de faits comme ceux-là. Ce qui fait que ça devrait être la question d'abord...

— D'autant plus que ça serait malhonnête envers le monde de fixer la date sans avoir dit quelle question sera posée, coupa quelqu'un d'autre.

Claude leva les mains, pencha la tête, insista:

— Minute, minute, les gars. L'ordre des choses de votre travail ici ne sera pas nécessairement le même que le déroulement officiel du processus. On est ici pour prendre des décisions quant au référendum, mais d'un référendum qu'on va gagner. Ce qui est honnête, c'est ce qui va nous permettre de le gagner. Mettre toutes les chances de notre côté sans tromper le public: c'est ça qu'on va faire. Et c'est pour ça qu'il faut finir par la question. Décidons stratégie, décidons date et après, on trouvera une question intelligente qui tiendra compte de tout et nous permettra de gagner...

Une voix féminine très douce mais très ferme avait enterré celle de l'autre :

— Messieurs, il serait beaucoup plus logique de nous diviser en trois groupes de six ou sept selon les intérêts de chacun et de nous partager la tâche. Quand nous aurons arrêté des idées, nous nous regrouperons et...

— Écoutez Lise, dit un jeune homme à l'énorme chevelure.

— Je vous en prie monsieur, fit-elle sévèrement, appelez-moi madame le ministre.

— Messieurs, messieurs, dit le président avec autorité, nous ne sommes pas sur la bonne voie. Puisqu'on a une semaine pas plus, va falloir procéder avec célérité. Partons du schéma stratégie-date-question et avançons... Et si c'est pas le bon, on va s'en rendre compte le temps de le dire. Ce qu'il faut se rappeler à chaque minute, c'est que le référendum, on va le gagner ou bien on va le perdre ici même, cette semaine. Bon. Vous avez eu le temps d'y penser à toute la stratégie référendaire depuis trois ans ? Le moment d'accoucher de vos idées est arrivé. Je suis d'accord pour l'idée des groupes de travail...

Cinq jours plus tard, l'assemblée générale était à nouveau constituée.

La main gauche du président ouvrit un dossier ; l'autre déposa une cigarette fumante sur le bord d'un cendrier.

— Nous en avons eu plein les bras cette semaine, entama-t-il d'une voix spectaculaire de faiblesse.

Il n'avait pas eu à demander la parole, l'attention, ni à faire aucun geste d'aucune sorte et pourtant, dès qu'il avait ouvert la bouche, toutes les voix s'étaient tues et l'assistance s'était suspendue à ses lèvres. Chacun avait conscience d'avoir livré le meilleur de lui-même, les fruits les plus mûrs et les plus juteux d'années de réflexion et c'est pourquoi chacun attendait le verdict du chef. Chaque visage traduisait une émotion excessive: espoir, appréhension, peur, défaitisme... Que dirait-il? C'est perdu? C'est gagné? Il y a combien de chances?

Le chef avait gardé son esprit froid et calme toute la semaine. Il avait fort peu participé aux débats, gardant ses énergies pour le travail de synthèse. Car il savait que ses lieutenants lui fourniraient tout le matériel et tous les outils nécessaires, mais que c'est lui finalement qui devrait forger la clef de cette maudite porte donnant sur l'indépendance du Québec. Quant à ses propres opinions, puisqu'il ferait office de synthétiseur, il savait qu'il pourrait, sinon les greffer tout au moins les saupoudrer dans le dossier final.

Il s'était donc confiné au rôle de catalyseur ces derniers jours. Il s'était contenté de réfléchir. Dehors le plus souvent. Assis sous un érable gelé. Achalé seulement par cette satanée impatience que même les années n'avaient pas réussi à amenuiser et qu'il avait toujours dû museler à force de volonté et de cigarettes.

Il poursuivit:

— ... et je pense que c'est dans ce temps-là qu'on obtient les meilleurs résultats. Autant vous le dire tout de suite: à mon avis, si on suit les grandes lignes tracées dans ce dossier, eh bien, le référendum, on va le gagner haut-la-main.

Les applaudissements fusèrent, aucun ne se rendant compte qu'il s'applaudissait lui-même. À la russe...

— Je vais vous résumer la synthèse et, au besoin, on creusera... Tout d'abord, on s'est posé des questions sur la stratégie. Fera-t-on du référendum une question émotive, une question politique ou bien une question économique? Nous sommes tous d'accord, y compris et surtout le ministre des finances, qu'en faire une question économique serait une folie. Le fédéral et les Anglais recruteront une batterie d'économistes pour démontrer que nous avons tort et ils n'auront aucun mal à y arriver parce qu'un bilan réel est impossible et que dès lors, on peut faire dire n'importe quoi aux chiffres. Dans cette voie, celui qui criera le plus fort l'emportera. Et comme l'économique est leur unique spécialité... Il leur suffira d'une couple de bébelles à la Brinks ou à la Sun Life trois jours avant le référendum... Bon. Cette voie a donc été rejetée. Et pour plusieurs autres raisons dont je vous fais grâce même si elles sont très valables.

En faire une question politique? Le principal argument contre, c'est que les gens n'y comprennent pas grand-chose dans l'histoire du partage des pouvoirs simplement parce que ça ne les intéresse pas. Et quand ils ne savent pas ce qui les attend, ils sont conservateurs. Donc parler d'indépendance politique, c'est une voie douteuse, dangereuse, peu sûre.

Mais... Mais si nous parlons d'indépendance nationale, là les gens comprennent. Ils ont peur, mais ils comprennent. Parce qu'alors nous nous adressons à leurs sentiments. Le peuple est comme ça: il raisonne avec son coeur. Toute la question doit donc devenir émotive, viscérale, passionnée, malgré les risques que cela peut comporter et les excès que ça pourra causer. On ne fait pas une omelette sans casser des oeufs. Il nous suffira d'être très alertes pour éviter qu'il s'en casse trop.

Voilà donc la seule bonne voie: celle du nationalisme, ce nationalisme qui a grassement payé tous les politiciens qui ont su l'utiliser. Il faudra donc jouer à fond la corde de la fierté nationale. Ce qui ne sera pas bien difficile. Il faudra que le référendum devienne un match. Que les protagonistes, les vedettes ne soient pas nous et les leaders de l'autre camp mais les Québécois eux-mêmes. Les Québécois sont maniaques de grandes batailles rangées. Il faudra leur en donner une belle. On va faire en sorte que chacun d'eux s'implique. La polarisation est déjà pas mal engagée; il faudra qu'elle s'accélère.

Parmi les principaux moteurs de cette stratégie, il y a la date et la publicité qui, toutes deux, devront contribuer à embarquer les gens. Embarquer dans le bon sens du mot. Comment? En rapprochant le plus possible la date du 24 juin. Nous allons mettre le paquet pour l'organisation des fêtes de la Saint-Jean — qui nous en blâmera — et deux jours après, ce sera le référendum... enfin la dernière tranche...

Nous allons donc faire, en moins spectaculaire mais en tout aussi efficace, le coup de Trudeau à la Saint-Jean en 1968. En conséquence, joueront en notre faveur tous les aspects du sentiment nationaliste réveillé par la fête des Canadiens français.

La question maintenant. C'est là que sera notre grande force car vous avez trouvé, je pense, une formule gagnante. Vous avez intelligemment repoussé l'idée d'une question demandant oui ou non comme réponse. Une question à trois branches n'aurait pas valu mieux puisque l'opinion publique en aurait associé deux dans le même panier. Tandis que celle-ci à quatre volets est une petite merveille... Je la lis textuellement. C'est comme ça qu'elle sera présentée au public au cours de la campagne et qui nous permettra d'expliquer les termes très succincts proposés sur le bulletin de vote au référendum.

Un: souveraineté (pas de lien confédéral)
Je vote pour que le Québec devienne un État souverain sans liens particuliers avec le reste du Canada.

Deux: souveraineté-association (pas de lien confédéral)
Je vote pour que le Québec devienne un État souverain et je donne mandat au gouvernement du Québec pour négocier des liens économiques avec le reste du Canada.

Trois: rapatriement-délégation (avec lien confédéral)
Je vote pour que tous les pouvoirs politiques reviennent au gouvernement québécois qui choisira lui-même ceux qu'il déléguera au gouvernement fédéral.

Quatre: fédéralisme renouvelé (avec lien confédéral)
Je vote pour que le gouvernement du Québec continue à négocier avec le gouvernement central le partage des pouvoirs politiques selon la formule traditionnelle.

. Le résultat du référendum ne sera déterminant que si l'une des propositions réunit au-delà de cinquante pour cent des suffrages. Pour y arriver, il faudra donc plusieurs tours de scrutin. À chaque tour, nous ferons sauter la voie la plus anti-fédéraliste de sorte que ses votes se reporteront à celle qui se rapproche le plus d'elle.

Prenez un crayon et jouez avec des chiffres. Vous verrez qu'à moins que le fédéralisme renouvelé ne gagne au premier tour, ce qui est absolument improbable avec notre question parce que les gens préféreront se rallier à des notions plus centrales plus prometteuses de justice, d'équilibre, de bon sens, les meilleures chances vont donc du côté de la formule rapatriement-délégation. Or, le rapatriement-délégation, c'est à vrai dire la même chose que la souveraineté-association. Mieux, c'est une formule qui va satisfaire tous ceux qui veulent garder le lien confédéral, mais qui élimine en pratique le gouvernement fédéral. Et encore mieux, le fédéral deviendra alors la poubelle de nos problèmes puisque nous pourrons lui déléguer les pouvoirs susceptibles de nous brûler les doigts.

Ainsi personne ne pourra gueuler. Ce sera la volonté libre du peuple et je crois que nous allons rallier une bonne majorité à cette option. Les gens n'auront pas peur puisque la fédération ne sera pas officiellement brisée. Et les fédéralistes n'auront pas perdu complètement la face.

Ce qui rendra rentable cette formulation de question pour nous, c'est qu'un bon vingt pour cent de fédéralistes tièdes voteront plutôt pour le rapatriement-délégation que pour le fédéralisme renouvelé ce qui fera rater leur 50 % aux fédéralistes. Par la suite, le jeu de bascule des votes à chaque tour nous fera atteindre les premiers le cinquante pour cent. Officiellement, nous allons faire une chaude campagne pour la souveraineté-association, mais nous savons nous, que la formule rapatriement-délégation revient au même. Car un gouvernement fédéral sans pouvoirs, vous voulez me dire ce que c'est ça, vous autres?

L'on applaudit chaleureusement et le président continua:

— Et au soir de la victoire, probablement au dernier tour de scrutin le 26 juin, nous allons nous rallier joyeusement à la volonté populaire du côté du rapatriement-délégation et pourtant, notre but sera atteint: l'indépendance politique dans les faits.

Jonglons avec les chiffres. D'après tous les sondages, le mieux qui pourrait nous arriver, si nous ne proposions que trois choix, serait ceci:

souveraineté:	10%
souveraineté-association:	25%
fédéralisme renouvelé:	65%

Avec notre formule, nous diviserons le vote fédéraliste et le résultat voisinera de ceci:

souveraineté:	10%
souveraineté-association:	25%
rapatriement-délégation:	20%
fédéralisme renouvelé:	45%

Au deuxième tour, une semaine plus tard, soit le 19 juin:

souveraineté-association:	35%
rapatriement-délégation:	20%
fédéralisme renouvelé:	45%

Au troisième tour, le 26 juin:

rapatriement-délégation:	55 %
fédéralisme renouvelé:	45 %

Faudra quand même travailler comme des nègres. Faudra faire travailler notre monde. Faudra se débarrasser du complexe de la vedette et faire en sorte que ce soient les Québécois qui prennent la vedette. Faudra garder dans nos têtes ce qui s'est passé ici cette semaine.

On va annoncer tout de suite que le référendum aura lieu en juin sans préciser la date ni parler de la question. Ça va permettre une période de réchauffement en janvier et février. Par exemple, il faudra trouver moyen de susciter discrètement dans les grands quotidiens un concours sur la question, histoire d'impliquer les gens. Et puis ça va nous donner le temps de faire adopter tout ça au congrès de notre parti en février.

Et au début de mars, on va préciser: dates, question et mode de scrutin... Imaginez que j'allais dire stratégie.

Mars, ce sera le mois des remous. On va se faire attaquer sur notre façon de tenir le référendum. Mais on va s'expliquer au public de façon que les gens soient satisfaits de notre honnêteté. Et avec raison. Parce qu'il n'y a rien de malhonnête dans la stratégie que je vous synthétise, votre stratégie. C'est politique, mais pas malhonnête.

Avril: les fédéralistes vont tenter de faire porter la campagne sur l'économique. On va les laisser faire. On va peu répondre. Et on va cultiver le nationalisme. On va donner l'image de parfaits gentlemen. Ce que nous sommes d'ailleurs...

Mai: mois de la grosse bagarre. Nous allons y aller à fond de train. Taper sur les injustices du système fédéral. Faire appel à l'histoire. Rien d'intellectuel. Rien d'économique. Des flashes. En noir et blanc sur nos humiliations. En couleurs sur la grandeur de la nation canadienne-française. Il faudra polariser, montrer qu'il y a match entre ceux qui sont contre le changement et ceux qui sont pour. De façon connexe, il y aura les préparatifs des fêtes du Patrimoine. Mobilisation générale. Préparation d'un triomphe après la bagarre.

Juin: silence, attente, pathétisme, mûrissement des indécis, une certaine paix sécurisante, certitude de la victoire à afficher. Les fédéralistes vont donner des grands coups d'épée dans l'eau. Des millions de provenance occulte vont circuler d'une manière tout aussi occulte. Mais ce sera trop tard. Et ces choses vont travailler contre eux. Ils vont nous aider à tirer sur la corde qu'ils auront autour du cou.

Le douze, on aura un scrutin tranquille où les gens vont risquer vers les options plus souverainistes, se disant qu'il y aura un deuxième tour. Résultat: 10-25-20-45.

Le 19: 35-20-45.

C'est là que ça pourrait être dangereux pour nous. C'est là que les fédéralistes vont donner le coup de mort pour aller chercher ce qui leur manque.

Mais il y aura eu le 24: la fête nationale, l'euphorie collective, la passion du Québec. Et contre ça, ni les fédéralistes, ni les Anglais, ni l'argent ne peuvent quoi que ce soit.

Et le 26, ce sera la majorité du côté de la formule rapatriement-délégation. Sans réactions violentes de la part des fédéralistes s'il vous plaît parce qu'ils auront encore leur masque.

Ceci dit...

Pendant qu'une salve d'applaudissements se faisait entendre, le président tira le cendrier vers lui. Il sortit son briquet et l'alluma. Ce n'est pourtant pas une cigarette qu'il porta à la flamme mais les pages du dossier qu'il fit brûler une à une jusqu'à la dernière.

De nouveaux applaudissements avaient salué cette manoeuvre, mais cette fois, les assistants avaient frappé sur la table plutôt que dans leurs mains.

•

Montréal, le 14 février... boulevard Henri-Bourassa

— Deux personnes? questionna l'hôtesse avec un sourire commercial.

Elle n'attendit pas la réponse et tourna les talons. Mélanie et Jean la suivirent. Après qu'ils furent assis dans un coin en retrait, l'hôtesse leur présenta à chacun un exemplaire ouvert du menu.

Mélanie jeta un bref coup d'oeil et dit:

— C'est la première fois que je viens manger dans un grand restaurant. J'espère que je ne te ferai pas trop honte.

— Avoir honte de toi dans de pareilles circonstances: ça, ce serait un sentiment petit bourgeois. Mais attention, hein... Avoir peur que je le fasse: ça, c'est de la paranoïa.

Elle sourit gauchement:

— Tu veux m'insulter ce soir?

— Oh ! que non ! Je veux que ce soit la soirée de la concorde par excellence. Tu sais, y'a rien de mieux au monde pour faire la paix et créer des liens qu'un bon petit repas avec vin dans une atmosphère de détente.

— C'est ce qui explique que les Français ne s'engueulent jamais ?

— Tu es casse-pieds...

— C'est parce que je suis mal à l'aise. Je me sentirais plus chez moi chez Macdonald's, dit-elle en chuchotant.

— On ira une autre fois. Moi, je me sens bien aux deux endroits, fit-il en imitant le chuchotement de Mélanie.

— Je suis perdue dans ce menu. Je ne connais pas grand-chose dans ces mets.

— Dans ce cas, le mieux à faire, c'est de me suivre. Prends la même chose que moi. Je vais être ton professeur de gastronomie. Je prends un apéritif. Tu en veux un ?

— Ah, là-dedans par exemple, je ne serai pas une suiveuse.

Elle sourit et ajouta d'une voix retenue, mince, pointue :

— Waiter ! Deux bucks.

Elle ne s'était pas rendu compte que la serveuse venait d'arriver. Mais celle-ci fit mine de rien, garda son sourire sophistiqué assorti à son uniforme guindé et dit :

— Vous dites ?

— Un Dubonnet rouge, fit Mélanie à travers un regard doucereux vers Jean qui dit sans sourciller :

— La même chose pour moi.

•

Les murs de la chambre étaient pavoisés d'affiches, posters, collants, pancartes. Il y en avait tant, que les uns empiétaient sur les autres. Ils représentaient Marx, Lénine, Mao, Che: l'habituelle panoplie des révolutionnaires communistes... ou de leurs émules.

Un jeune homme d'une pâleur cadavérique, le visage ciré, regardait fixement un point du plancher. Une tache du prélart usé ou bien une boursouflure? Il n'aurait pas pu le dire lui-même puisque son esprit était ailleurs.

Depuis combien de temps ses yeux noirs au regard profond et lointain étaient-ils perdus dans l'insondable alchimie de la pensée pure? Ça non plus, il n'aurait pas pu le dire.

À son retour à sa chambre après ses cours à l'université, il s'était affalé sur son lit de fer aux draps sales et en désordre. Et il avait mis la bride sur le cou à sa faculté de raisonner.

Geneviève était venue. Elle s'était couchée à côté de lui, avait parlé. Il n'avait pas répondu. Il n'avait pas entendu. Elle s'était réchauffé la main en soufflant longuement dessus de son haleine chaude, puis l'avait glissée doucement dans le pantalon de son compagnon à la recherche du sexe. Elle avait caressé. Amoureusement. Patiemment. Mais il ne s'était rien passé. Sur le visage: qu'une torpeur pérennisée. Le corps: comme prostré à tout jamais.

Elle était repartie. Reviendrait-elle? Il ne le savait pas. Il ne s'en souciait pas.

Il entrait plusieurs fois par semaine dans ce qu'un observateur eût pu prendre pour une sorte de transe mentale. Lui ne s'en inquiétait guère puisque la faim ou le sommeil venaient invariablement l'en sortir. Quant à ses études, elles n'en souffraient pas puisqu'il avait besoin de la moitié du temps qu'il fallait aux autres pour arriver aux mêmes résultats. Il dévorait avec une incroyable rapidité tous les livres qu'on lui imposait de lire et produisait ses travaux à un rythme infernal.

Il était une véritable usine intellectuelle. Et c'est pour cela qu'il se croyait plus éclairé que ses collègues sur l'avenir de l'humanité et les solutions à apporter aux problèmes de l'homme.

Il avait une telle aversion pour le mode de vie occidental qu'il en était venu à subir sa vie au lieu de la vivre.

Un bruit, comme celui de quelqu'un qui gratte, se fit entendre dans le couloir de la miteuse maison de chambres. La porte s'ouvrit. Une jeune fille entra. Elle avait de longs cheveux noirs et morts. Agglutinés sans ordre par le bon vouloir de leur gras ou de l'électricité statique. Elle portait des vêtements trop grands: un pantalon défraîchi, une chemise lâche et par-dessus ça, une autre chemise plus grande, déboutonnée et à larges carreaux verts.

On la devinait minuscule sous son accoutrement, comme si elle s'était enterrée sous une montagne de tissu, ne laissant émerger que son visage freluquet et ses petites menottes grises.

C'était Geneviève qui revenait avec un sac brun qu'elle déposa à terre, le temps d'approcher une table chevrotante du côté du lit où se trouvait le visage de son ami.

Elle tâcha d'ordonner sur la table le contenu du sac, mais ça ne donna aucun agrément visuel. Il y avait trois sandwiches enveloppés de papier ciré, deux verres de lait et deux beignets. Alors elle s'assit par terre, à l'indienne, et regarda longuement son camarade. Muette. Balançant de la tête. Comme quelqu'un qui veille un mort et qui s'en fiche éperdument.

Longtemps après, elle se releva. Tranquillement, elle enleva tous ses vêtements. Elle s'approcha du lit, mit la main sur l'épaule de son ami et le secoua sans violence.

Il la regarda et sourit. Puis son regard se posa sur ce corps menu qu'il connaissait bien. Elle lui désigna la table. Il y jeta un bref coup d'oeil et ses yeux revinrent aussitôt envelopper les seins, le ventre et le pubis de Geneviève. Spectacle en gris et en noir.

Il esquissa un mince sourire, leva le bras, tendit la main. Geneviève grimpa sur le lit et s'étendit. Il se redressa sur son séant, déposa encore ses yeux sur le corps nu puis, il se tourna vers la table et se mit à manger sans hâte.

Quand il eut fini, il baissa un peu son pantalon, sortit son pénis, monta sur Geneviève, s'installa entre ses cuisses, la pénétra, donna quelques brèves poussées, éjacula, se retira et retourna à sa transe mentale.

•

... Sunnyside Avenue

Une quarantaine d'hommes d'affaires anglophones étaient là, dans cet immense sous-sol au luxe indécent. Depuis l'annonce de la tenue du référendum, ils s'étaient réunis trois fois. La première pour se rassurer les uns les autres. La seconde pour tâcher de se rendre compte qu'ils avaient eu raison de se rassurer. La troisième, c'était ce soir-là. Elle était présidée par John Osborne.

Le colonel n'attendit pas, comme les fois précédentes, que les invités se soient engrisés d'alcool avant d'ouvrir l'assemblée. Il monta tôt sur la tribune improvisée, devant un lutrin débordant de notes et découpures de journaux.

— Messieurs, dit-il, dès l'annonce de la tenue du référendum, le 11 janvier, j'ai attitré un de mes journalistes, un Canadien français, au sondage journalier du poulx de l'électorat. Il ne fait pas de doute que le gouvernement du Québec gagne peu à peu du terrain. Comme il le fait d'ailleurs depuis un an. La tendance est à la hausse du côté de l'indépendance. Il y a maintenant 33.3% d'indépendantistes dans la province alors qu'il n'y en avait que 29.7% le 11 janvier. Et 26% d'après des sondages antérieurs il y a un an.

Avec l'effervescence créée par la venue du référendum, la progression des effectifs souverainistes risque de devenir géométrique. Si le référendum avait lieu dans trois jours ou dans un mois ou même dans deux, nous pourrions dormir sur nos deux oreilles. Mais il aura lieu en juin: dans quatre mois. Et qui plus est, en un temps où les esprits sont le plus réceptifs aux changements. Pire encore: en ce mois de la fête nationale des Canadiens français.

D'autre part, j'ai fort peu de confiance dans les politiciens fédéraux pour la conduite de cette campagne référendaire. Pour parler au peuple, à côté des péquistes, ils font figure d'enfants d'école. Quant aux députés de l'opposition à Québec, ça ne vaut guère mieux: chacun est bien plus préoccupé par sa petite gloriole que par l'avenir de cette province. Quant aux fédéralistes dans le peuple, ils seront limités par les règles du jeu. Et comme ils sont loin d'avoir la même ardeur que les partisans de la souveraineté, que feront-ils?

Le tableau est sombre, mais il est réaliste. Malgré toutes les apparences actuelles, nous avons toutes les chances d'être battus...

Il y eut un mouvement dans l'assistance, mais Osborne poursuivit en hochant la tête:

— Et vous savez ce que ça voudra dire: être battus? Dans dix ans, il ne sera plus question de nous autres ici au Québec. Nous allons devoir disparaître. Parce que quand l'indépendance sera faite, contre quoi se battront tous ceux de l'aile gauche du parti québécois? Vous pouvez me le dire? Vous pensez que ces gens-là vont s'asseoir et filer joyeusement leur petite vie dans leur petit paradis du Québec? Absolument pas! Dès que l'élément de cohésion, c'est-à-dire la recherche de l'indépendance, aura disparu, le parti québécois va se fractionner. Et la moitié gauche proposera alors carrément le socialisme. Et tôt ou tard, les gens finiront par voter pour.

Et alors, l'entreprise privée disparaîtra. Pour chacun d'entre nous, ça voudra dire la ruine. Passe toujours, dans vingt-cinq ans, nous serons tous morts. Mais nos enfants, eux? Avons-nous le droit de laisser faire tout ça? Avons-nous le droit de laisser tomber toute la communauté anglophone de cette province? Laisserons-nous tomber notre patrie le Canada? Non. Non, mes amis. Nous sommes face à une question d'urgence nationale au même titre que si c'était la guerre. En fait, c'est une guerre qui s'engage et pour nous, elle est perdue d'avance. À moins... À moins que nous fassions jouer notre grande force à nous, celle qui nous a toujours permis de nous sortir des pires situations: l'argent.

— Le gouvernement nous empêche de nous en servir, dit un assistant.

— Il faut donc agir clandestinement puisqu'on nous y force. Je propose que nous fondions une association secrète qui pourra s'appeler le Comité Clandestin Canadien ou C.C.C. et qui aura pour objectif de lutter par tous les moyens contre les séparatistes. Ce comité devra tout d'abord ramasser des fonds. Bien sûr que nous ne ferons pas une campagne populaire de souscription puisque nous n'en avons pas le droit... ou à peu près. D'où viendront les fonds? C'est vous qui allez les fournir. J'ai dressé une liste de cinquante présidents de compagnies qui devront trouver chacun cent mille dollars. Pourquoi si peu de noms et un si haut objectif? Pour que le secret soit gardé. Parce que l'enjeu est de taille. Cinq millions: c'est le minimum que nous pouvons faire. Est-ce que vous êtes prêts à le faire?

Les assistants se regardèrent, murmurèrent mais n'applaudirent pas.

— Alors qu'est-ce que vous venez faire ici? Ne sommes-nous pas des hommes d'action? Et puis vous n'aurez qu'à hausser légèrement vos prix au lendemain du référendum pour rentrer dans votre argent en moins de six mois. Et en fin de compte, vous n'aurez rien perdu. Tandis que si le référendum favorise la souveraineté, nous allons tout perdre à plus ou moins brève échéance. À vous de choisir. Ou vous donnez cent mille dollars d'une main et le récupérez auprès du public après le référendum, ou bien vous refusez de collaborer et vous courez à la ruine.

Parmi les hommes d'affaires, plusieurs avaient déjà discuté avec Osborne et l'un d'eux cria sa conviction :

— Vive le C.C.C. ! Vive le C.C.C. !

De nombreuses voix l'imitèrent. Osborne dit sur un ton enflammé :

— Que tous ceux qui tiennent à l'avenir de leurs enfants et de leur patrie le grand Canada se lèvent.

Électrisés, les assistants obéirent. Osborne se donna la main gauche avec la droite et cria :

— Vive le Canada !

Les assistants crièrent :

— Vive le Canada !

Osborne hurla :

— Vive le C.C.C. !

Les assistants hurlèrent :

— Vive le C.C.C. !

Puis l'un d'eux murmura à l'oreille de son voisin :

— Cent mille, si ça marche, c'est une vraie aubaine.

•

... boulevard Henri-Bourassa

Le repas achevait. Jean et Mélanie levèrent leur dernière coupe. Il agita la sienne comme il le faisait toujours avant de boire. Mais cette fois, il ne porta pas la coupe à ses lèvres. Il regarda intensément sa compagne et des mots d'une infinie douceur lui vinrent :

— Je te le redis pour la centième fois : je t'aime Mélanie.

— Tu m'aimes bien et ce n'est pas pareil, fit-elle avec douceur et fermeté.

— Pourquoi te refuses-tu à l'amour ?

— Jean, tu as le don de me parler d'amour en des moments où l'on jurerait que tu viens de m'acheter.

— Pouah ! je suis habitué à ces réflexions : tu me les fais depuis deux mois.

— Un mois et demi.

— Et toi aussi, tu m'aimes.

— Je t'aime bien, c'est tout. Comme j'aime ma mère. Comme j'aime le Québec.

— C'est la première fois que j'entends quelqu'un mettre sur un pied d'égalité les sentiments amoureux et le nationalisme.

— Et après ?

— Ça me fait rire parce que je n'y crois pas.

— Libre à toi. De toute manière, l'amour, ça ne se mesure pas.

— Donc ça ne se compare pas.

— Si tu y tiens.

— Au fond, tu sais que le jour où tu avoueras que tu m'aimes, ça voudra dire qu'il nous faudra envisager de faire l'amour.

— Je peux très bien faire l'amour avec un ami et ne pas le faire avec celui que j'aime.

— C'est de la théorie, du raisonnement, de la logique pure. Mais dans la vie, il y a aussi le ventre.

Elle but puis s'épongea les lèvres de sa serviette de table, étirant le silence pour mieux réfléchir. Elle ouvrit la bouche pour dire quelque chose, mais c'est Jean qui parla:

— En ce cas, je te prends au mot. Puisque tu ne fais que m'aimer bien et que d'autre part, tu accepterais de faire l'amour avec un ami, alors...

— Là, tu as raison. Oui, nous ferons l'amour...

Jean sourit de toutes ses dents. Elle poursuivit:

— Mais quand mon heure sera venue.

Il déchanta:

— Tu parles! Et ça fait deux mois qu'on se connaît. Même nos grands-parents n'attendaient pas plus que ça. Après s'être rencontrés une douzaine de fois, ils se dépêchaient de se marier.

— Quant à ça, nos parents, eux, se sont bien fréquentés deux ou trois ans avant de se marier.

— Pouah! je te jure qu'ils devaient tricher un peu avant.

— Pas tant que ça. Demande-leur.

— Ils peuvent bien dire ce qu'ils veulent.

— C'est pas en pérorant sur les autres générations qu'on va se mettre d'accord sur une ligne de conduite pour la nôtre.

— Et même sans ça, tu n'agis pas comme les autres...

— O.K. les filles de seize ans font l'amour et moi, à dix-neuf, je suis encore vierge. Et puis après? Je ne suis pas prête, c'est tout.

— Je ne veux pas qu'on se chicane à ce propos-là. Tu sais bien que je saurai attendre. Tu vaux la peine qu'un homme attende des mois. Et ça, c'est une autre raison qui me fait prendre conscience que je t'aime. Je n'ai jamais...

Elle l'interrompit :
— Tu en as possédé plusieurs ?
— Quelques-unes.
— Combien ?
— Je ne sais pas : cinq ou six.
— Un vrai tombeur, quoi ?
— Mélanie, Mélanie, quelle différence ça peut faire ? Une de plus, une de moins.
— Comme les autos que tu as eues. Une de plus, une de moins. On désire la prochaine et quand on l'a eue, on commence à désirer la suivante. C'est ça, les hommes.
Il vida sa coupe d'une seule rasade et dit, un éclair de malice dans les yeux :
— L'un des plus grands signes d'amour entre nous deux, c'est qu'on se chicane sans arrêt.
— C'est peut-être ça, l'incompatibilité de caractères.
— Tu aimerais qu'on aille au cinéma demain soir ?
— Je ne peux pas. Je siège au comité d'organisation référendaire de notre comté.
— Et après-demain ?
— Assemblée de cuisine à Boisbriand.
— Toi et ton sacré référendum. On n'en est pas sortis.
— Il y a des gens, tu sais, qui sont sensibles à l'avenir de leur pays...
— Mon pays, c'est le Canada.
— Et moi, le mien, c'est le Québec.

•

— Pourquoi ces Chinois ne s'en vont-ils pas chez eux, dans leur patrie, là où triomphe le vrai communisme, au lieu de se prostituer ici dans une civilisation pourrie?

Le jeune homme s'était approché de la fenêtre et regardait l'enseigne lumineuse d'un restaurant chinois. Sous les reflets du néon, ses yeux paraissaient encore plus noirs, presque cruels. Il poursuivit:

— Et nous, nous sommes condamnés à y vivre dans cette société corrompue.

Encore nue sur le lit, Geneviève dit sans tourner la tête:

— Ça changera. Tu verras, demain, l'an prochain...

Il se mit à rire. D'un rire entièrement faux, artificiel:

— Changer? Changer? Je suis entré dans la ligue au cégep il y a cinq ans; qu'est-ce qu'on a gagné depuis? Rien. Pas un seul membre. Mieux, nous sommes une centaine de moins.

— L'idée générale fait son chemin, elle. Et c'est ça qui compte.

— Fais-moi rire. La pollution s'amplifie tous les jours. La consommation n'a jamais été aussi florissante. Et la moitié de l'humanité crève de faim. C'est ça, la comédie humaine. Tout ça ne changera jamais sans la révolution. La vraie. La pure. À la Mao. À la Che. Celle qui nettoie, purge, dératise. Détruire tous ces magasins avec des camions blindés. Forcer les gens à se conduire intelligemment.

Il se mit à frapper sa main gauche de son poing. Gardant ses yeux dehors, il siffla :

— Ça serait le bon temps de frapper. Si je pouvais trouver de la dynamite. Si je pouvais donc trouver de la dynamite.

Geneviève jeta désabusée :

— Je connais un endroit où il y en a des tonnes. Toutes les réserves de chez Pascal... Mon frère travaille là.

Elle n'avait pas fini sa phrase qu'il s'était retourné pour dire, le regard de glace :

— Pourquoi ne m'en avais-tu jamais rien dit? Enfin on va pouvoir les former, nos Brigades Rouges. J'appelle Renald et Luc.

— Tu es fou? Ce n'est pas le temps. Pas avant le référendum.

— Je m'en contrefiche de leur référendum de pourris. Il faut justement profiter de ça pour semer la pagaille. Geneviève, on va devenir les frères de tous ceux qui se battent à travers le monde pour la liberté. On va pouvoir enfin emprunter la seule voie possible et fructueuse, la voie révolutionnaire. Je fais venir Renald et Luc et tu vas tout nous raconter sur ton frère.

•

Québec, le 4 mars

Son sommeil agité fut brutalement interrompu par la sonnerie du téléphone. L'homme décrocha d'une main et de l'autre sortit une cigarette d'un paquet placé sur sa table de chevet. Il dit sans voix :

— Allo !

...

— Qui veux-tu que ce soit d'autre? questionna-t-il un peu bourru.

Il tâta près de son paquet, trouva son briquet, l'alluma. Mais il le relâcha sans avoir enflammé sa cigarette et vociféra :

— Les petits maudits vont nous faire perdre le référendum.

...

— Non, non, non, ça vient pas du côté des fédéralistes. C'est bien trop dangereux, un petit jeu pareil. En plus que n'importe quel stratège le moindrement intelligent ne ferait pas sauter une bombe à ce temps-ci de la campagne, en plein début. Il attendrait les derniers milles pour faire peur au monde. Ça vient encore de ces maudites têtes enflées de jeunes révolutionnaires. C'est tout ce que t'as comme renseignements? C'est arrivé il y a une heure? Aucun blessé, c'est sûr?

...

— Dès demain matin, tu vas mettre tout ce que tu trouveras de détectives dans la province sur l'affaire. Et s'il faut en faire venir des États, fais-le. Le moins d'uniformes possible. Fouillez dans tous les cégeps et toutes les universités. Passez au peigne fin la ligue marxiste-léniniste. Il faut arrêter ça en moins d'une semaine.

....

— Fais aucune déclaration aux journalistes. Je vais m'occuper d'eux autres demain matin.

Trois jours plus tard, une autre bombe sautait, cette fois dans une banque de l'ouest de Montréal. Les terroristes revendiquèrent la responsabilité de l'attentat au nom de la confédération mondiale révolutionnaire et ce, par le biais d'un communiqué rédigé en français et transmis à un quotidien. Les souverainistes fulminaient. Les fédéralistes jubilaient. Tous fustigeaient.

Un détective de la Sûreté du Québec n'eut pas à raisonner trop profondément pour établir un lien entre ces bombes d'amateurs et le vol de dynamite perpétré aux entrepôts Pascal une quinzaine de jours auparavant. Là non plus, il n'avait pas fallu des professionnels pour forcer les lieux puisque les mesures de sécurité suffisaient tout au plus à empêcher les curieux d'entrer.

Il enquêta rapidement sur les employés, établit un lien entre le frère de Geneviève et la jeune fille membre de la ligue marxiste-lniniste. Ce fut ensuite un détail d'embarquer toute la clique, de confondre chacun d'entre eux et de découvrir toute la vérité.

C'est menotté au bras de ce même détective que l'ami de Geneviève, imperturbable, l'air noir, sortit du palais de justice sous les éclairs au magnésium.

— Vous pouvez toujours flasher en attendant la révolution, bande de pourris, siffla-t-il entre ses dents.

Le détective sourit aux journalistes et rétorqua, sifflant lui aussi entre ses dents:

— La révolution, c'est pas pour demain si on se fie à des caves comme toi.

— La révolution, c'est une idée. Et comme des minus habens dans ton genre sont incapables de penser...

Le détective prit un air méprisant et autoritaire pour cracher:

— Mon petit calvaire de morveux, t'es mieux de fermer ta christ de gueule parce que tu vas y goûter.

•

Ce même jour, le 15 mars, à Québec

— Croyez-vous que l'action des terroristes puisse changer quelque chose dans le résultat du référendum?

Tout en écoutant la question d'un des nombreux journalistes qui assistaient à la conférence de presse, le politicien tira nerveusement sur sa cigarette, puis il laissa la fumée s'échapper de sa bouche en même temps que ses paroles de déconsidération:

— Ça n'a pas plus d'importance qu'une...qu'une chiure de mouche. Des enfants qui se sont amusés à jouer les terreurs. Même chose qu'en 70. La différence, c'est qu'on n'a pas mobilisé l'armée puis arrêté des centaines de citoyens honnêtes pour démasquer les pseudo-croquemitaines. La question s'est réglée en moins d'une semaine, vous l'avez vu. Oui, c'est ça la différence entre nous autres Québécois et puis le fédéral: l'efficacité.

— Si d'autres mouvements terroristes se manifestaient, quelle serait l'attitude du gouvernement?

— La même, dit l'homme en haussant les épaules, puisque nous avons réglé l'affaire le temps de nous y mettre.

— Supposons qu'il se soit agi d'un mouvement formé d'anglophones?

— Aucune différence. Des criminels, c'est des criminels.

— Donc vous ne croyez pas que l'action des terroristes puisse inciter les gens à voter pour le fédéralisme?

En guise de réponse, il sourit d'un seul côté du visage et leva les deux mains devant lui. Il écrasa sa cigarette, fouilla dans sa poche pour s'en chercher une autre, mais il n'y avait plus rien. Il se rappela qu'il avait terminé son paquet juste avant le début de la conférence. Il consulta sa montre, grimaça un peu. Il porta sa main à sa poitrine et fit tournoyer ses doigts au creux de son estomac.

•

Et sur Sunnyside Avenue

Les six membres de l'exécutif du C.C.C. siégeaient pour la troisième fois en autant de semaines.

Osborne, l'oeil gai, tira en tournant sur les deux bouts de sa moustache, geste qu'il posait quand il se sentait très heureux.

Il jeta un paquet de lettres sur la table et commença de les lire les unes après les autres:

— Canada Chemical: O.K. National Aircraft: Oui. Doome's Canada Ltd.: O.K.

Aucune lettre n'était signée bien qu'il s'agisse du papier officiel des compagnies. Et les seuls mots que toutes contenaient étaient écrits en très gros caractères et à la main: O.K. OUI + . Les présidents avaient suivi la consigne: le secret absolu.

Les cotisations de cent mille dollars en liquide parviendraient toutes le même soir à la même heure au quartier-général du C.C.C.: le sous-sol de la maison de John Osborne. Chaque président ayant dû agir lui-même comme commissionnaire serait bien retenu, le temps que l'argent soit compté, séparé en dix parts égales et envoyé en dix endroits distincts, relativement sûrs et dont chacun n'était connu que de deux membres de l'exécutif, dont Osborne lui-même.

L'on partait du principe que la confiance devait régner chez les présidents à l'égard du C.C.C., mais que l'inverse eût été dangereux. Et ce principe était commandé par la simple différence entre les montants d'argent impliqués: cent mille dollars dans le premier cas et cinq millions dans l'autre.

— Osborne fit ensuite un bref commentaire:

— Mes amis, nous devons une fière chandelle à nos terroristes à la petite semaine. La journée de l'explosion de leur première bombe, douze présidents nous ont fait savoir leur acceptation. Ce qui faisait vingt en tout. Et à la deuxième bombe, tous les autres nous ont fait part de leur consentement à souscrire. Ce qui veut dire que grâce à nos révolutionnaires, nous allons peut-être réussir à endiguer le flot séparatiste. Ceci dit, retournons à nos dossiers, verbaux puisque nous n'écrivons rien, et continuons d'étudier les diverses possibilités d'action avec le fonds de cinq millions que nous aurons en mains sous peu. Là-dessus, je demande à notre ami Harold Gibbons de faire le bilan de nos discussions des deux dernières semaines.

— Un homme maigre, au front haut, bougea de son dossier de chaise vers le rebord de la table auquel il s'appuya les coudes. Il se croisa légèrement les doigts, batifola des pouces, roula des yeux vifs et malicieux enfoncés dans de profondes orbites sous des sourcils luxuriants. Il parla bas, d'une voix mesurée:

— Il y a trois façons de gagner un électorat à sa cause. De tout temps, ce furent toujours les mêmes: l'argent, les promesses, la peur. La meilleure? Les promesses. Mais des promesses, ça suppose qu'il faut les publiciser. Or, le gouvernement avec ses normes sur la tenue du référendum, nous empêche d'emprunter cette voie. Il nous a donc fallu envisager d'explorer les deux autres avenues soit l'injection de montants d'argent sous la table un peu partout dans les diverses régions de la province d'une part et les pressions morales négatives qu'on appelle péjorativement la peur d'autre part. Parce que cette dernière voie est aussi complexe que dangereuse bien que fort prometteuse et surtout éprouvée depuis des siècles, nous y réfléchirons seulement après rejet de la deuxième solution: la distribution de capitaux.

Dans cette étude, c'est la mathématique qui est à la base des raisonnements. Nous avons travaillé avec des chiffres arrondis. Résumons. Nous répartissons le cinq millions dans les cent et quelques comtés de la province, ce qui signifie environ cinquante mille dollars par comté. Répartition arbitraire s'il en est une puisque le nombre d'électeurs varie d'un comté à l'autre et surtout que ce sera le résultat global qui sera déterminant et non le résultat par comté. Mais comme il faut bien une base de travail... Donc cinquante mille dollars par comté. Mais distribués à qui et pour faire quoi? La seule chose que nous puissions faire, c'est de consacrer l'argent à du travail d'organisation. Cinq mille dollars à dix personnes? Envisageons cela. À des organisateurs, disions-nous. Fédéralistes, donc probablement libéraux. Cinq mille dollars dans leurs mains? C'est risqué qu'ils gardent le gros du paquet. Alors cinq cents dollars à cent organisateurs? Même objection. Pourquoi pas cinquante dollars à mille personnes? Éparpillement aux quatre vents. Même si la distribution se fait la veille, ça se saura et ça nuira bien plus qu'autre chose. Les nouvelles vont trop vite aujourd'hui pour que ce genre de choses puisse se réaliser avec succès.

Bref, à mon avis, suite à nos discussions, je pense que cette voie est à éviter. Et je ne redis pas toutes les objections pratiques: contrôle des fonds, moyens de les faire parvenir, choix des récipiendaires. Et puis, dans des cas où il ne peut s'exercer de contrôle, chacun craint que l'autre n'ait reçu plus que lui. D'où, jalousie et tout ce qui suit...

Nous avons donc cru bon de vous proposer purement et simplement l'abandon de cette voie.

La seule variante possible aurait été l'attribution de nos fonds aux journalistes. Tous ces gens-là sont depuis longtemps déjà polarisés. Ils se croient des lumières, c'est bien connu. Cinq cents dollars leur feront peut-être changer d'idée une journée, mais pas davantage.

Donc passons-nous à l'étude du chapitre sur les pressions morales ou bien quelqu'un a-t-il des questions?

Les assistants se regardèrent, murmurèrent, mais aucun ne demanda la parole. Gibbons poursuivit:

— Alors allons-y... Parlons de pressions morales

puisque c'est le gouvernement lui-même qui nous y force...

•

Au même moment, à la conférence de presse, l'on distribuait aux journalistes la copie d'un formulaire où l'on expliquait d'une manière aussi détaillée qu'optimiste le mode de scrutin envisagé pour le référendum, les trois dates et la question.

Ce projet, tout à fait loyal et même généreux envers les fédéralistes, soutenait-on, serait présenté comme loi spéciale et adopté par l'Assemblée nationale avant la fin de mars. Ce qui donnerait — et cela aussi était logique et serait agréable pour tout le monde, y laissait-on entendre, — un laps de temps idéal pour la partie la plus chaude de la campagne.

À cause du retard de la distribution de ce formulaire et de l'importance du sujet, et en guise de compensation aux journalistes, le politicien annonça que la conférence pourrait durer le temps qu'ils le voudraient bien, à l'intérieur bien entendu d'une limite raisonnable d'une heure.

Puis il fit signe au commissionnaire qui avait apporté les formulaires et lui chuchota à l'oreille:

— Veux-tu aller me chercher un paquet de cigarettes? Tu connais ma marque?

En même temps que le commissionnaire, un journaliste sortit de la salle et se rendit au téléphone. C'était un francophone bilingue travaillant au *Montreal Daily News*.

Il composa le numéro spécial qu'il savait devoir le mettre en communication avec son grand patron, le colonel John Osborne.

Et il traduisit au colonel le contenu du formulaire.

Homme de stratégie, Osborne comprit d'un coup toutes les astuces cachées du projet gouvernemental. Dans sa tête, cela ne faisait pas de doute: le référendum passerait à l'un des deux niveaux plus au centre soit celui de la souveraineté-association mais bien plus probablement celui du rapatriement-délégation.

Alors une marée d'une incroyable force envahit son esprit: celle de la certitude. La certitude d'un homme qui se sent traqué et qui croit parler au nom de son peuple piégé. Il redressa le torse et retourna auprès de l'exécutif du C.C.C. Son visage était devenu pâle comme cette autre certitude, l'absolue, la seule définitive: la mort.

En ses yeux, aucune résignation ne se lisait, ni aucune peur, ni aucune rage, mais comme la conscience d'une grande tragédie en même temps que l'espoir d'une vie nouvelle. Il avait eu cette même impression lors du décès de sa femme quand il avait quitté le cimetière après l'enterrement. Cette bizarre mais très nette réaction lui donna un air solennel quand, resté debout, il prit la parole pour dire presque laconiquement ces simples mots:

— Messieurs, nous sommes en guerre!

•

Ste-Rose de Laval, le 1er avril

Quand l'odeur du pain qui cuit commença à se répandre dans le grand salon, Mélanie dit à sa tante:

— Voulez-vous me présenter que je leur dise un petit mot ?

Mélanie savait d'instinct choisir les bons moments pour faire les choses. C'est elle qui avait suscité cette assemblée de cuisine, la sixième qu'elle organisait depuis le premier souffle du vent référendaire.

Elle avait demandé à sa tante d'inviter les voisins, sans égard à leurs opinions politiques ou à leur idée sur l'indépendance du Québec. Parmi les suggestions du parti relativement à ce genre d'assemblées, Mélanie avait fait sienne l'idée du pain. Et ça marchait à tout coup: l'hôtesse, authentique Québécoise, trop heureuse qu'on lui demande de préparer un plat et surtout qu'on décide pour elle lequel.

Et cette odeur qui vous réveille le nationalisme le plus endormi. Et sécurisante, chaude, qui envahit sans crier gare, va chercher dans les profondeurs ataviques tout le magnétisme de l'autrefois et vous le projette en plein visage dans le plus délicieux des tourbillons.

Depuis l'arrivée à leurs narines de l'effluve prometteur, les invités s'étaient regaillardis. Léo, l'employé du C.N. avait jeté un coup d'oeil complice à Henriette, la voisine d'en face qu'il avait sautée à deux reprises l'été précédent. Yvon Delorme, petit entrepreneur plombier, mit sa main sur la cuisse chaude et dorée de sa femme. Jacques Demers commis-vendeur dans une quincaillerie, discutait avec chaleur avec l'oncle de Mélanie. Et celui-ci, Gilles Bureau, vibrait, sachant fort bien qu'il aurait la chance au cours de la soirée d'épater quelqu'un avec un de ses nombreux récits sur ses exploits sportifs.

Il y avait en tout treize personnes dans le salon des Bureau. Le père de Gilles: un vieillard aveugle, les six voisins, Mélanie, Jean, leurs amis Linda et René. Ces deux-ci étaient de chauds partisans de l'option souverainiste, mais ils n'avaient aucun goût ni aucun talent pour l'organisation. C'est pourquoi ils préféraient s'en tenir aux directives de Mélanie quant au travail de soutien à la cause.

D'une voix forte, la tante Marie-Claire attira l'attention:

— Vous connaissez déjà ma nièce Mélanie, mais je vous la présente encore une fois parce qu'elle aurait quelque chose à vous dire.

Une petite carte à la main, la jeune fille quitta sa chaise et vint au centre de la pièce avec un sourire engageant aux lèvres. Habillée simplement de vêtements seyants à tons discrets de beige et de brun, elle était toute de charme et d'élégance sobre.

— Je suis bien contente que vous ayez répondu à l'invitation de ma tante Marie-Claire...et de mon oncle Gilles en vous rendant à cette assemblée de cuisine. Je n'ai pas l'intention de vous faire un discours pour la bonne raison que vous en savez beaucoup plus que moi sur le Québec, sur les Québécois, sur le choix à faire lors du référendum qui s'en vient. Nous sommes venus ici, mes amis et moi, pour vous transmettre très simplement et très ouvertement, sans cachette, le message du parti quant à ses vues sur notre avenir. Nous sommes souverainistes, mais nous ne faisons pas de discours. Les Québécois sont des gens libres, intelligents, avertis; ils peuvent donc poser des choix par eux-mêmes sans avoir besoin de se faire endoctriner ni par les uns ni par les autres, fédéralistes ou souverainistes.

Nous sommes ici beaucoup plus pour nous connaître, pour fraterniser, pour se parler devant un café fumant et un bon quignon de pain de ménage tout chaud que ma tante nous a préparé avec beaucoup de tendresse.

J'invite René à vous distribuer le fascicule du parti. Si vous en avez l'occasion, lisez-le. Ça n'engage strictement à rien. C'est pas de la propagande. Ni même de la publicité. C'est tout bonnement un message aux Québécois et aux Québécoises. C'est la réponse à la question: qu'est-ce que c'est que la souveraineté, la souveraineté-association, le rapatriement-délégation, le fédéralisme renouvelé.

C'est tout ce que je voulais vous dire. Oh, vous remarquerez une feuille imprimée de façon plutôt artisanale insérée dans le fascicule. C'est une annexe concernant le mode de scrutin au référendum. Comme nous en avons manqué, nous avons dû en réimprimer avec les moyens de fortune au cégep.

Alors merci bien gros de votre présence ici, à cette rencontre entre bons amis québécois. J'espère que j'aurai l'occasion de jaser avec chacun de vous personnellement pour parler de tout et, le moins possible de politique.

Merci de tout mon coeur de Québécoise et bonne veillée!

La jeune fille fut chaudement applaudie. Sauf par Jean qui garda froide mine.

Il avait l'âme inquiète et se demandait si cette réticence ne relevait pas en lui de la jalousie. Il ne trouvait pas logique de voir tant de charme et de dévouement donnés à une cause politique. Au surplus, une cause fort discutable et en laquelle il ne croyait pas. Tout ne lui apparaissait pas négatif dans l'idée de l'indépendance politique du Québec, mais l'histoire des lendemains qui chantent ne faisait tinter aucune cloche à ses oreilles..

Il prétendait qu'il y avait trop de Québécois indépendantistes pour rejeter leurs théories, mais qu'il y en avait trop de fédéralistes pour condamner les leurs.

Pour lui, chaque Québécois avait sa somme de bonnes raisons pour penser à sa façon et c'est la somme des sommes, soit le résultat du référendum qui indiquerait la voie intelligente. Et c'est dans cette voie-là qu'il s'engagerait sans arrière-pensée, en farouche démocrate. Mais il ne pourrait évidemment le faire qu'après le référendum. Donc il ne voterait pas.

Mélanie ne pouvait comprendre qu'il ne s'engage pas d'un côté ou de l'autre. Il y avait, selon elle, une lacune dans cette attitude. Ou bien il manquait à son devoir. Ou bien il manquait de courage. Qui pouvait se permettre de ne pas prendre position alors que les hommes les plus importants du Québec et du Canada le feraient? Alors que le plus obscur des citoyens se sentirait concerné et voudrait ajouter sa voix au chapitre? Alors que l'avenir d'un pays était l'enjeu?

La jeune fille s'entretint avec les trois couples du voisinage. Des six personnes, cinq étaient fédéralistes. L'autre était une femme.

— C'est parce que je suis fédéraliste, expliqua le mari. C'est sa façon de me contrarier.

Mélanie fit le décompte des votes à un imaginaire mini-référendum tenu à cette assemblée. Cinq fédéralistes chez le groupe des voisins. Six indépendantistes: la voisine à l'esprit de contradiction, l'oncle Gilles, la tante Marie-Claire, Linda, René et elle-même. Un absentéiste: Jean. Restait le vieillard. Il fallait l'approcher, le sonder, tâcher de le gagner. C'est lui qui pouvait confirmer ou infirmer la victoire des partisans de la thèse souverainiste.

L'homme était resté en retrait, assis sur un petit divan, près du vestibule d'entrée, dans l'ombre. Personne ne lui avait porté la moindre attention après les salutations protocolaires du début de la soirée.

Mélanie se rendit auprès de lui, se mit à parler doucement du bon vieux temps. À le questionner surtout.

Vu de près, c'était un homme imposant. Il frappait par sa stature. Il était grand, gros, charpenté, carré. De ces hommes que l'on verrait plutôt en avant, au centre, en tête, à la place qui leur revient: celle du patriarche. Sa tête altière portait d'épais cheveux très blancs, lisses et fuyants comme le front. La forme du visage: sympathique. Le visage: insondable. D'immenses verres fumés le séparaient des questions et redisaient sans arrêt sa cécité.

La tante Marie-Claire et Jean placotaient pas très loin. Sans le faire exprès, ils se déplacèrent en direction du vieil homme et de Mélanie juste au moment où la jeune fille faisait bifurquer la conversation vers la politique:

— Vous, monsieur Bureau, est-ce que ça vous effraie, l'indépendance du Québec?

— Moi, j'ai toujours voté libéral et c'est pas demain la veille du jour où j'vas voter autre chose.

— L'indépendance vous empêcherait pas de voter libéral.

— Le parti libéral est contre ça, l'indépendance. Pis moi, ça me fait peur itou. Tu comprends qu'à mon âge, la chicane pis le trouble, ça nous dit moins de quoi que quand on est plus jeune.

Marie-Claire s'exclama:

— Mais il n'est pas question de chicane làdedans, monsieur Bureau. L'indépendance, ça va justement être le contraire: la fin de la chicane.

Mélanie renchérit:

— Monsieur Bureau, les Québécois ne se sont jamais autant rapprochés les uns des autres et serré les coudes que depuis qu'il est question de l'indépendance. Partout il y a des assemblées de cuisine comme ici. Ça fraternise. Ça chante. Ça danse. C'est comme si nos belles veillées d'autrefois étaient en train de revivre dans tout le Québec.

— Quant à ça, j'vas ben ressortir mon vieux violon, dit l'homme en s'esclaffant. Son rire était excessif parce qu'il se sentait gêné de sa proposition, mais aussi parce que l'envie l'avait vraiment pris de jouer une toune.

D'attentif qu'il était, le visage de Mélanie devint radieux. Elle s'écria:

— Mais oui, je me rappelle que mon oncle Gilles avait dit que vous étiez le meilleur violoneux de votre coin.

— Ah, j'étais pas le plus mauvais. Y'a ben du monde de St-Hyacinthe qu'ont dansé su ma musique.

— Moi non plus, j'y avais pas pensé, mais c'est une bonne idée, monsieur Bureau, de nous jouer quelque chose. Votre violon, il est dans votre grosse valise en bas. Je vais vous le chercher. Vous allez nous en jouer.

Sans attendre la réponse, Marie-Claire tourna les talons et se rendit quérir l'instrument.

— Ça, ça va faire plaisir à tout le monde. Autant

que le bon pain de ma tante, dit Mélanie suggestivement.

Le vieux hocha sympathiquement la tête. Quelqu'un ne s'était pas intéressé à lui depuis combien de temps? Il ne le savait plus. Il ne vivait le plus souvent que parce qu'il le fallait bien. Dans une errance à limites étroites. Prisonnier de son corps mais aussi de sa pensée. En sa tête, les souvenirs étaient de plus en plus flous. Les plus marquants le remuaient encore. Et parmi ceux-là: le violon. S'il n'avait pas eu peur de déranger ou que l'on se moque, il aurait fait parler parfois son fidèle instrument. Même pour lui tout seul. Si peu. Une note ou deux. Par-ci par-là. Discrètement. Doucement. Mais il y avait belle lurette que l'inexorable sentiment d'inutilité s'était infiltré en lui. Insidieusement. Vicieusement. Ça datait même du temps où il avait bon pied bon oeil.

Et voilà qu'une jeune fille dont il ne se rappelait même plus les traits du visage tant il ne l'avait pas vue depuis longtemps venait rallumer en lui le feu des souvenirs heureux. Et elle l'avait fait d'une voix si douce, si remplie de tendresse que le goût de faire confiance profondément en quelqu'un surgit d'un lointain brumeux de sa vieille âme.

C'est le coeur au bord des larmes qu'il entendit le son familier des pas de Marie-Claire remontant l'escalier du sous-sol.

Mélanie se frappa les mains et exulta:

— Comme j'ai hâte d'entendre ça!

Marie-Claire remit au vieux son instrument sous les regards attendris de tous les invités qui s'étaient mis à l'attention aux battements des mains de Mélanie.

Le vieillard mit tout d'abord l'archet sur ses cuisses, puis il prit son violon d'une main et de l'autre le palpa. Avec un respect presque religieux. Avec une lenteur calculée. Avec une douceur sereine. Quand il en eut dessiné les moindres courbes, il l'empoigna avec fermeté de sa vieille main solide et le pinça entre son menton et son épaule. Alors il prit l'archet et le fit glisser d'un trait sec, sur une note de tâtonnement sans âme, histoire d'avertir son vieil ami que leur joyeuse équipe venait de renaître des cendres d'un temps d'or.

Puis ce fut la formidable estocade. Attaque du temps, de la monotonie. Rupture d'avec l'ordinaire. Alchimie artistique. Création. Beauté. Folie. Air de gigue. Une kyrielle de notes légères se mirent à batifoler dans toute la pièce: nerveuses, neuves.

La cadence devient reine, soulève les talons, secoue les épaules de mouvements rythmiques, agite les coeurs, endiable.

René fut le seul à ne pas bouger d'une ligne. En son esprit s'était installée la joie. Et cela lui parut étrange. Si nouveau! Il s'entretint avec sa joie, l'apprivoisa puis la libéra. Alors il se leva, entraîna Linda au centre de la pièce et entama une disco-gigue qui atteignit en quelques secondes la frénésie de l'impudent chapelet des notes de violon.

Chacun se fit tout yeux au couple de danseurs et tout oreilles au musicien. L'odeur du pain s'accentua, vint chanter à tous sa dorure, sa tendreté, son appétit de beurre frais. Linda roulait de ses hanches rondes tandis que René abandonnait son corps à la magie de l'eurythmie.

Sexes et âges avaient disparu. Plus que de la ressemblance, plus que de l'unisson. Une trêve bénéfique. Un tempo universel.

Le vieillard savait d'expérience qu'il ne fallait pas laisser durer trop, même les meilleures choses. Quand il sentit venu le moment suprême, cette seconde où une minute est au maximum de sa bonté, ce temps où les fringales sont apaisées mais les appétits toujours vifs, sans crier gare comme au début, il mit fin à la joyeuse équipée de tous ces cœurs dansants.

Une volée d'applaudissements recueillit les derniers épanchements des désirs de chacun. Jean eut plaisir à battre des mains jusqu'au moment où il entendit Mélanie s'écrier :

— C'est ça, monsieur Bureau, être de vrais Québécois !

— Ah, ça me rappelle ben de bons souvenirs, dit le vieux.

— Monsieur Bureau, un Québec indépendant pourra crier toutes ses richesses au monde entier et le monde entier l'écoutera.

— Ah, on est capables, nous autres itou.

Le vieux avaient du mal à parler ; ses épaules sautaient de rire.

Marie-Claire s'écria :

— Le pain est cuit. Tout l'monde à table.

Une heure plus tard, Mélanie rentrait, reconduite par un Jean muré dans un presque silence depuis la fin des notes de la concorde.

Ce n'était pas la première fois qu'il avait pareille attitude. Elle le laissait poireauter dans son mécontentement. Il finissait toujours par céder. Mais elle ne pouvait se contenir et c'est à l'euphorie qu'elle céda. Après avoir longuement fredonné, elle dit:

— Vois comme je chante. J'aimerais tant que tu sois heureux toi aussi.

— Il y a moyen.

— Lequel donc?

— La fusion totale. Toi et moi.

— Ah! Encore ça!

— Tu as une de ces façons de concevoir l'amour!

— Et toi donc!

Il persifla:

— Tu ne penses pas au partage, toi. Tu ne penses qu'à gagner. À gagner quelque chose qui n'en vaut pas le coup: un référendum.

— Mon cher Jean, mon coeur est à quelque chose, moi. Je sais qu'au fond, tu es contre l'indépendance, mais tu n'es même pas capable de défendre tes positions.

L'auto blanche s'insinuait sous les arbres de Grande-Côte. Jean évalua le temps qu'il lui faudrait pour arriver chez Mélanie, un temps qui ne permettrait pas que les choses s'arrangent. Il accéléra.

Mélanie rompit à nouveau le silence:

— Jean, faisons donc la paix dans toute cette histoire de politique.

— La seule paix qui te conviendrait, c'est celle qui me ferait te suivre dans tes engagements.

— Pas du tout! Ce que je veux simplement, c'est de la franchise l'un envers l'autre. Que chacun croie en quelque chose... de façon honnête.

Il l'interrompit sur un ton brutal:

— Honnêtement? C'est toi qui parles d'honnêteté? Fais-moi rire avec le fair-play des indépendantistes. Vous ne donnez même pas la chance de se défendre à ceux qui ne pensent pas comme vous. Vous avez au départ les sentiments profonds des gens de votre côté et vous vous servez ensuite de toutes les astuces imaginables. Vos adversaires n'ont que l'argent et vous les privez de ce seul moyen de défense en les empêchant de s'en servir.

Elle éclata de rire:

— Mon oeil! Les pauvres petits fédéralistes victimes des gros méchants nationalistes.

— Raille si tu veux, vos tactiques sont quand même malhonnêtes.

— Tu préfères l'achat des consciences des crapules libérales...

— Acheter avec un pain de l'épicerie ou bien avec l'odeur d'un pain de ménage: quelle différence? Vous jouez sur les mots. Vous êtes des crapules intellectuelles.

— Je reconnais bien là l'esprit petit-bourgeois que tu t'es toujours défendu d'avoir.

Ils cessèrent une autre fois de se parler. En s'engageant dans la rue de chez Mélanie, il lui dit, la voix radoucie:

— Est-ce possible entre nous deux, Mélanie? Crois-tu que ce soit possible?

Elle resta silencieuse un moment puis répondit la gorge serrée en soupirant:

— Si tu le voulais. Si seulement tu le voulais. Mais ta mentalité, ton milieu s'accrochent à toi. Ils t'agrippent et t'empêchent de vivre ta vie à toi...

— Et moi, je crois que c'est à toi que cela arrive.

— Alors si tu vois rouge et que moi, je vois vert, la collision est inévitable.

Il stoppa devant la porte des Germain, laissa tourner le moteur, dit à faible voix sans tourner la tête :

— C'est une rupture ?

— Puisque c'est la seule voie...

— Peut-être qu'après ce maudit référendum...

— Ah, il y aura autre chose qui nous séparera. Je continuerai de militer pour la collectivité et toi de paresser dans ton individualisme.

— Nous y revoilà encore ! dit-il tristement, le cœur chargé d'un énorme sentiment d'impuissance.

— Au revoir, Mélanie... Il y a une toute petite chose dont j'aimerais que tu te souviennes...

Il attendit sa question :

— Quoi ? fit-elle.

— C'est que je t'aime.

Elle le regarda longuement, soupira, se mordit la lèvre, hocha la tête, scella ses paupières.

— Non, tu ne m'aimes pas parce que c'est tout bonnement impossible. D'un mouvement brusque, elle ouvrit la portière, descendit et s'en fut en courant vers chez elle.

Jean eut froid. Devint livide. Se sentit bleu, désarmé, désâmé. Il appuya sur la pédale d'accélération. La portière se referma d'elle-même ave violence.

•

Et à Westmont

Un terrible coup de poing s'abattit sur la table. Le colonel se leva rouge de rage, rugissant :

— Leur maudit référendum, ils sont en train de le gagner pour une bouchée de pain et nous ne pouvons rien faire avec cinq millions de dollars.

— Colonel, les dés sont loin d'être jetés. Il reste plus de deux mois avant le premier tour, dit un des membres du C.C.C.

— Au contraire, ils sont jetés depuis un bon moment déjà. Et ils sont pipés. Les indépendantistes n'ont pas cessé une seule semaine de gagner du terrain. Ils en gagnent à chaque jour, à chaque heure. La question a l'air d'être honnête mais elle ne l'est pas. Le mode de scrutin a l'air d'être généreux, mais il ne l'est pas. Et la combinaison des deux ne nous laisse aucune chance. Nous sommes prisonniers dans une souricière. Il ne nous reste plus qu'à attendre l'exécution puisque le verdict du référendum ne sera qu'une formalité.

— Peut-être que les souverainistes sont sur le point d'atteindre leur maximum, suggéra quelqu'un.

— Faux. Leur progression est en augmentation de vitesse. Ils savent y faire pour convaincre les gens. Ils les prennent toujours par le sentiment. Quant à nos gars du groupe pour l'unité canadienne, c'est une bande d'opportunistes dans laquelle chacun tire la couverture de son bord, essaie de dévorer l'autre, cherche à se ramasser du capital politique.

— Peut-être qu'un revirement se produira?

— Vous croyez? Eh bien, vous vous trompez. Nous sommes devant une vague de fond. Comme celle du bolchévisme. Comme celle du nazisme.

— Un revirement est toujours possible. Il peut se produire un événement...

— Nous y arrivons, coupa ostentatoirement le colonel. Vous commencez à comprendre. Il n'y a plus que ça comme possibilité: un événement. Un tremblement de terre? Un raz-de-marée? Une éruption volcanique? Foutaise. Mais quelque chose dans le genre et qui soit provoqué de mains d'homme. Quelque chose d'important qui non seulement bloque la vague de fond mais en utilise la force pour contrer l'idée de l'indépendance...

— Nous avons étudié toutes les possibilités d'intervenir, objecta un assistant. Et en long et en large. Pas une ne pourrait être légale et si elle l'était, elle ne serait pas efficace.

— C'est ce que nous disions: nous sommes pris dans une souricière, faits comme des rats. À moins d'un miracle, d'un événement important...

Les assistants se regardèrent, murmurèrent, firent les yeux interrogateurs.

— Nous nous répétons et nous tournons en rond. Et vous savez pourquoi, messieurs? Parce que nous refusons de voir la réalité en face. Je vous ai dit que nous étions en guerre et vous n'avez pas pris la situation avec le sérieux requis. Notre patrie à nous est en danger. Nous disposons d'un certain capital pouvant nous servir à nous défendre. Nous avons la clandestinité qu'il faut. Nous avons étudié tous les autres moyens. Que nous reste-t-il?...

Il y eut un silence, puis des murmures. Le colonel haussa le ton de plusieurs crans:

— Qui aura allumé la mèche? Les souverainistes eux-mêmes. Ce pays se développait au même rythme que les autres avant eux.

Il se mit à multiplier les gestes brusques.

— Ces gens-là, les francophones, n'étaient pas si à la misère qu'ils le prétendent. Leur niveau de vie était inférieur au nôtre: c'est vrai. Mais à qui la faute? Après les plaines d'Abraham, ils se sont pelotonnés dans leur coin et c'est malgré eux si la province de Québec fut quand même développée. Sans nous, ils seraient encore une bande de paysans à odeur de fumier, misérables sur leurs petites terres pauvres. Ils nous en veulent parce que nous avons exploité les richesses autour de nous. Et pourtant, nous n'avons fait là que notre devoir. Depuis le temps des cavernes, depuis toujours, parce que c'est là une simple question de survie humaine, l'être humain a l'obligation morale d'utiliser au mieux les richesses de son milieu. Et eux trouvent moyen de nous reprocher cela. Et c'est parce que nous avons fait notre devoir, parce que nous nous sommes intéressés à l'industrie et au commerce, que la province a réussi à suivre, tant bien que mal et de loin mais à suivre quand même, les autres régions de l'Amérique du Nord. Sans notre action ici, les Québécois francophones seraient sans doute aussi mal fichus que les Méditerranéens. Rappelez-vous seulement de ce qu'ils étaient en 1950, par exemple. Des pauvres complexés qui avaient peur de nous et qui n'osaient venir à nous que pour nous lécher les pieds en quémandant des emplois minables. Était-ce notre faute s'ils étaient à plat-ventre? Ils n'avaient qu'à se relever. N'ont-ils pas commencé à le faire, en 1960? Et ç'a marché. Pas facilement, mais ils faisaient des progrès.

Mais voilà que maintenant, ils dépassent et de loin les limites du raisonnable. Ils nous mettent sur le dos tous leurs malheurs et cherchent à nous faire payer pour. Oh! ils font encore attention à certains de nos droits, mais que se passera-t-il après l'indépendance? Vous savez qu'il y a un fond communisant chez une partie de leur élite. Et ce fond n'attend plus que l'indépendance pour faire surface.

Et c'est ça le plus dangereux: ce virus caché qui dort et contre lequel il nous faut nous battre. Pas pour gagner parce qu'il n'est pas question du tout de victoire ou de défaite, mais pour purger notre pays de ces microbes envahissants. Et il faudra y mettre le prix. Que dis-je: il faudra? Il faut le faire dès maintenant.

L'homme porta le ton à son maximum. Son visage tourna au cramoisi. L'oeil dur, il vociféra:

— Nous devons entreprendre la guérilla urbaine, mais ne faire que des actions énormes pour faire bien réfléchir les gens sur leur folie souverainiste. C'est le seul moyen de stopper la vague. Voici des exemples de ce que nous allons envisager de faire. Faire sauter l'un des grands ponts de Montréal. Ou peut-être le stade olympique. Porter un coup à l'édifice du Parlement de Québec. Nous devrons frapper à gauche, à droite, sans répit, durement. Il faudra que disparaisse la moindre velléité d'atteinte à l'intégrité nationale. Il faudra que les gens pensent que l'indépendance risque de déclencher la guerre civile. Alors ils se diront que ça n'en vaut pas le coup et se tourneront vers la sécurité d'un Canada uni.

Messieurs, aujourd'hui vous incombe la plus grande responsabilité de votre vie: celle de contrer le péril qui menace notre patrie, celle de sauver nos compatriotes, celle aussi de sauver malgré eux, encore une fois, les francophones de cette province, celle d'assurer une paix durable dans un pays voué au plus bel avenir. Le monstre qui menace cet avenir est là. Il faut le tuer et il est de taille. Vous devez donc me donner les moyens en conséquence. Je compte sur vous. Le Canada compte sur vous. Le monde libre compte sur vous.

C'est sur un ton pathétique que le colonel venait de clore son discours. Il se rassit, sortit un mouchoir et s'épongea le front.

Pendant une bonne minute, ce fut le silence total. Silence non verbal aussi puisque chacun gardait les yeux rivés sur un point inexistant quelque part dans la pièce. Silence silencieux. Silence éloquent.

Puis une chaise recula discrètement. Un homme gris à lunettes épaisses se leva. Il dit d'une voix très douce, presque angélique:

— Je ne suis qu'un homme d'affaires et un citoyen paisible. Je ne crois pas à la violence. Et c'est par principe que je n'y crois pas. Lorsqu'il y a violence quelque part, le bilan est toujours négatif. Oh! je suis conscient des dangers que nous courons tous, mais qui sait si nous ne les surévaluons pas...

Il fut interrompu par le colonel:

— Comment en être sûrs? Attendre de périr?

— Le colonel a ses points de vue. Je les respecte. Mais je ne les partage pas au même degré que lui, c'est tout. Et d'un autre côté, je me dis: et s'il avait raison, et si c'était lui qui voyait juste. Il faut donc faire montre de réalisme dans une situation où c'est impossible de l'être. Alors quoi faire? J'y réfléchis depuis des semaines et je n'ai trouvé aucune issue. Je veux dire aucune solution qui me satisfasse. Je quitte donc le C.C.C.

Il y eut une rumeur que l'homme enterra en parlant plus haut:

— Mais j'y laisse ma contribution de cent mille dollars. Et j'agirai comme si je n'avais jamais appartenu à l'organisation. Mieux, comme si elle n'avait jamais existé. Quoiqu'il arrive par la suite, je m'en lave totalement les mains et je vais le faire savoir à ceux que j'ai contactés et amenés à contribuer, espérant que leur attitude sera comme la mienne, en tout cas, la leur conseillant telle.

Colonel Osborne, vous êtes le seul en mesure d'agir. Vous êtes habile en politique, en stratégie. Vous avez fait la guerre. Vous pouvez suivre à chaque jour le poulx de la population par votre journal. Vous n'êtes ni un fou ni un maniaque. Vous n'avez pas auprès de vous des membres de votre famille pouvant risquer de limiter votre action. Vous êtes un grand patriote. Vous savez le prix qu'il faut payer pour la liberté. Pour toutes ces raisons et bien d'autres encore, je vous donne carte blanche. Et non seulement carte blanche puisque, je le répète, dès mon départ d'ici, j'ignorerai jusqu'à l'existence du C.C.C. Je ne peux pas présumer que ce qui sera fait sera bien fait, mais je veux dire simplement ceci: ce qui sera fait sera fait.

Messieurs, j'ai parlé pour moi et peut-être pour ceux que j'ai conseillés: je le saurai plus tard. Je ne veux pas savoir ce que vous en pensez et c'est pourquoi je vous quitte en vous priant d'agréer l'expression de mes sentiments les meilleurs.

Osborne esquissa un sourire, pencha la tête et demeura silencieux. L'homme se retira, suivi à quelques secondes d'intervalle, de tous les membres du C.C.C.

Quand il fut seul, le colonel se leva et s'approcha d'un foyer où il y avait flamme et au-dessus duquel était accrochée une immense photo de la septième escadrille.

Il sourit et murmura:

— Messieurs, une mission nous attend.

Puis il regarda fixement la flamme avec laquelle ses yeux échangèrent des lueurs agressives.

•

Los Angeles, le 2 avril

L'homme était vêtu d'un costume gris, presque de la couleur de ses cheveux.

Il avait l'air jeune et souriant de celui qui est en pleine force du sens de l'entreprise.

Il venait tout juste d'inviter l'un de ses innombrables visiteurs à s'asseoir. Un visiteur à la tête dégarnie et au dos voûté. Une tête qui hocha, reluqua. Le bureau n'était pas très grand ni très luxueux. Sobre. Simple.

Depuis son arrivée, le visiteur s'était vu dévorer des yeux par son hôte qui, juste au moment où l'autre ouvrait la bouche, l'interrompit d'une voix ferme :

— Quoi de neuf dans votre dossier? Les Canadiens ont-ils signé?

— Ils ont signé l'entente de principe.

— Parfait. Et à quel prix?

— Un million et demi. Et nous avons obtenu tous les droits de télévision hors Canada.

— Y compris la France?

— Y compris la France. Tous les droits.

— Quand vont-ils commencer leurs démarches?

— C'est déjà commencé. Aujourd'hui, ils rencontrent le premier ministre du Québec et demain celui du Canada.

— Ils prévoient combien de temps pour blâcler l'affaire?

— Moins d'une semaine. Ils vont sortir toutes les batteries dès le départ. Les premiers ministres sauront qu'il y a une entente entre le réseau canadien et nous d'ABC et que leur débat serait télévisé sur notre chaîne en direct à travers les U.S.A. Ils sauront aussi que nous sommes en pourparlers avec les Européens et que l'émission serait vue également en Grande-Bretagne et en France.

— Qu'en est-il de ces déclarations à l'effet que les deux premiers ministres avaient refusé de s'engager dans un débat télévisé?

— Aucun d'eux n'a rien dit d'officiel à cet effet. J'ai appris que ces deux hommes-là se cherchent depuis trente ans. Je me suis même laissé dire que toute l'affaire Québec versus Canada n'était pas autre chose au fond que leur combat personnel. Ils se battraient en duel sur le dos de l'avenir d'un pays. Et ceux qui les entourent ne se rendraient pas compte qu'ils ne sont que de simples témoins: heureux bernés bornés.

Donc, aucun d'eux ne voudra laisser passer sa chance de prouver à une partie du monde qu'il est le meilleur. Ils accepteront. Sous le couvert du devoir de leur charge ou de je ne sais quelle autre noble raison que seuls les politiciens arrivent à inventer et à faire croire au public, mais ils accepteront. Nous leur avons fait une offre qu'ils ne pourront refuser parce qu'ils sont trop orgueilleux et trop vieux tous les deux. C'est leur dernier duel. Et nous lui donnerons allure titanesque.

L'hôte souriait, l'oeil à la réflexion, bougeant majestueusement dans son fauteuil P.D.G. Il dit soudain :

— Ils sont merveilleux, ces Canadiens. Mais curieux aussi. Vous ne trouvez pas? Vous qui les connaissez mieux que moi, qu'en pensez-vous?

Le collaborateur se passa la main sur sa tête et répondit :

— Ah, pour ça, ils ne nous ressemblent pas. Définitivement pas...

•

Québec, le 5 avril

Il y avait six personnes dans la section spéciale réservée aux fumeurs. Le reste de ce restaurant de Grande-Allée était peu achalandé ce jour-là. Le premier ministre et cinq de ses ministres s'étaient attablés pour bouffer de la politique.

— Quelle odeur de printemps aujourd'hui! fit l'un des hommes.

Le premier ministre toussota, se toucha au creux de l'estomac, exerça une légère pression des doigts. Puis il banda les muscles de son bras gauche pour en chasser le picotement.

— La fièvre du printemps qui vient s'ajouter à la fièvre référendaire: il va faire chaud tout à l'heure, dit un autre.

— Espérons que ça ne devienne pas caniculaire, dit le premier ministre.

Tous s'esclaffèrent et leur chef poursuivit :

— J'ai tenu à vous consulter sur une question qui normalement devrait relever de moi seul. Mais, bon, dans notre parti, on a l'esprit démocratique. Et puis, on s'était entendus dans notre stratégie référendaire pour éviter le vedettariat. Et j'ai été le premier à le proposer. Mais voici que se présente un fait nouveau. La télévision nous propose, à moi et au premier ministre fédéral, un débat. En principe, je suis contre à cause de notre stratégie, puis aussi parce que c'est le genre de shows qui ne me dit rien de plus que ça. Mais dans ce cas-ci, c'est pas pareil. Si j'accepte — parce qu'il paraît que Trudeau a dit oui sans hésiter ni consulter personne, selon son style — ça voudra dire une tribune sur le monde. Eh oui, retransmission aux U.S.A. via ABC et aussi en Europe : France et Grande-Bretagne. Et peut-être même R.F.A. Pouvez-vous imaginer à quel point le Québec, par ma bouche, très modestement, pourra parler au monde occidental ? J'sais pas ce que vous en pensez, là, vous autres. J'pense qu'on pouvait pas trouver mieux pour préparer l'après-référendum, pour préparer notre entrée sur la scène internationale. Bon. Vous êtes ici pour me donner votre avis ; après tout, vous avez été les piliers de la stratégie référendaire. Malgré que je ne suis dit que ça serait pas une entorse bien grave à la stratégie. Comme j'veux pas orienter votre idée, je me tais et j'vous écoute.

L'un des ministres commenta :

— Pour ma part, le seul danger que je vois là-dedans vient de Trudeau. C'est un coriace...

— Claude, tracasse-toi pas pour ça ; Trudeau, j'en fais mon affaire, dit le premier ministre entre deux tétées sur sa cigarette.

— Ah, j'te fais confiance là-dessus. Quant au

reste, t'as raison. C'est important de commencer à parler tout de suite aux Américains... Ça serait à quelle date, le débat?

— Le trente avril probablement. Ça va un peu reléguer la fête des travailleurs dans l'ombre, mais j'pense que ça, cette année, c'est justement de bonne guerre. Qu'est-ce que t'en dis, Pierre-Marc?

— Moi? Cent pour cent d'accord.

•

Montréal, le 12 avril

Le président du comité des fêtes du Patrimoine avait réuni son exécutif pour que des décisions fermes soient arrêtées quant à la célébration de la fête nationale.

Le principe de la décentralisation devrait être respecté. Il faudrait susciter la fête dans une trentaine de villes de la province. La moitié d'entre elles avaient déjà soumis le programme de leurs activités et réclamé une subvention. Il fallait de toute urgence faire le point sur tous les dossiers.

Le secrétaire, jeune homme à la barbiche soigneusement taillée, commença à faire lecture de documents. Le président, un lourdaud aux grands yeux ébahis, écoutait religieusement.

— Va-t-on étudier chaque cas dans les détails? demande l'un des membres de l'exécutif qui reluquait vers la pile impressionnante de chemises.

Le président hocha la tête et dit avec un air de détachement:

— Libre à vous! Si vous préférez nous laisser prendre toutes les décisions?

— Ce que vous ferez sera bien fait. On vous fait confiance. Faisons porter la réunion sur une discussion de principes et laissons faire les cas particuliers.

— Tout l'monde est d'accord? demanda le président.

Toutes les têtes acquiescèrent.

— En ce cas, passons à la discussion. Est-ce qu'on répartit les budgets selon les demandes des organisations locales ou bien au prorata de la population?

— D'abord, de quoi dispose-t-on comme argent? demanda quelqu'un.

— Deux millions, répondit le secrétaire.

— Si je me souviens bien, c'est quatre fois plus que lors des fêtes de l'an passé?

— C'est ça, fit le président.

— Qu'est-ce qu'on va faire pour dépenser tout ça? Si je me souviens bien, on a eu de la misère à placer le demi-million l'année passée?

— Le ministre nous a fait savoir que cette année, il faudrait tout distribuer. Entre nous autres, je comprends pourquoi. C'est le temps du référendum: faut que ça fête. Le ministre ne l'a pas dit de cette manière, mais j'ai lu entre les lignes...

— Pourquoi n'est-il pas venu nous rencontrer, le ministre?

— Ah, mon pauvre ami, il est bien trop pris avec le dossier olympique. Avec toute la merde qu'il y a là-dedans, les graissages de pattes, le gaspillage... C'est ça qu'est l'affaire, mon vieux, vois-tu? En tout cas, revenons à nos moutons et surtout à la question: comment répartir nos budgets...

— Les demandes se chiffrent à combien au total? demanda un membre.

Le secrétaire soupira, trouva un document au milieu de ses dossiers et s'exclama:

— C'est là qu'est le problème: vingt-deux demandes nous sont parvenues pour un total de trois cent quarante mille dollars.

— Il reste combien de demandes à entrer?

— Environ quinze...

— Donc un autre deux cent mille?

— C'est ça.

— Calvaire, qu'est c'est qu'on va faire avec le million et demi qui va rester?

— Une orgie...

— Ouais, on n'est pas sortis du bois...

— Le problème, c'est qu'il faut distribuer les sommes. Y'a pas à sortir de là.

— Examinons donc une demande-type. Disons la Beauce. Combien veulent-ils?

— Beauce, Beauce, Beauce... un instant, fit le secrétaire en cherchant dans ses dossiers. Voilà. Total: douze mille. Parade classe A: huit mille. Spectacles: deux mille. Publicité: deux mille.

— Qu'est-ce qu'ils auraient pu demander de plus?

— Ils ont demandé le maximum pour la parade. Ils auraient pu demander jusqu'à cinq mille aux spectacles et quatre mille à la publicité.

— Nos plafonds sont trop bas.

— Je pense, moi, que c'est un nouveau poste qu'il faudrait créer...

— Comme par exemple?

— Le paiement du travail des organisateurs. La vingtaine de bénévoles qui se dévouent toujours pour faire plaisir au reste de la population, on pourrait leur distribuer à chacun un sept ou huit cents dollars. Ça ferait pas loin d'un million à la grandeur de la province.

— Pas bête, ça! Sans compter que ça stimulerait drôlement leur ardeur et automatiquement le feu de la Saint-Jean.

— Le reste, on va le donner aux petits artisans. Tiens, on pourrait créer un poste spécialement pour les expositions d'artisanat. Ça, ça toucherait un maudit paquet de monde. Ce monde-là « sont sensibles » : une couple de piastres à chacun, une médaille par-ci, une mention d'honneur par-là et l'affaire est bingo. Vous vous rappelez comme le vieux Duplessis savait y faire.

— Parlant de bingo, on pourrait peut-être en organiser un peu partout en collaboration avec les curés. C'est une valeur sûre, au Québec, ça.

— Mais c'est trop commercial. On se ferait dénoncer tout de suite par les libéraux. Fouines puis haïssables comme ils sont!

— Vous trouvez pas ça curieux, vous autres, de ne pas savoir quoi faire avec deux millions de dollars?

•

Osborne avait convoqué une réunion spéciale des pilotes de la septième escadrille.

Tous les hommes étaient là, plantés droit, autour d'une table circulaire en chêne massif. Aucun ne pouvait échapper aux yeux d'acier du colonel, à cette petite lueur froide mais étonnamment brillante qui jaillissait de ses pupilles lorsqu'il se mettait à parler de guerre, de combats, de raids aériens, de bombardements.

Sa griserie était communicative. Comme si ses hommes avaient soif de sa force. Il la leur avait injectée en 44 avant chaque envolée vers l'Allemagne. Chacun avait en son chef une confiance totale, absolue. Le genre de réactions que seuls des personnages imaginaires peuvent provoquer. Mais il y a parfois de ces hommes qui, dans des circonstances données, n'en sont plus vraiment. Et pourtant, ils ne sont pas encore tout à fait des dieux. Napoléon et Hitler furent des représentants de cette race rare. Osborne le militaire en faisait partie lui aussi. Et pourtant, dans la vie civile, il était un homme affable, d'une force mesurée, à la vie disciplinée, sociable. Pas de vices cachés. Pas d'extravagances sexuelles.

Une fois de plus, les onze pilotes étaient suspendus à ses lèvres. Qu'aurait-il à leur dire? Pourquoi cet appel d'urgence que chacun avait reçu? Comme si le colonel avait une autre mission à leur confier. Comme s'il leur révélerait un nouvel objectif. Cela ne se pouvait pas. Il y avait tant d'années, tant de longues années depuis l'euphorie des victoires de 44. Et pourtant, le terrible mais combien merveilleux suspense pouvait se lire sur le visage de chacun. Cette vibration unique, indéfinissable qui vient se lover au cœur de celui qui espère et redoute alternativement qu'on va lui demander d'aller risquer sa vie dans une aventure extraordinaire toute peuplée de bruit, de gloire, de paix. Quelle paix la guerre n'engendre-t-elle pas!

Les pilotes goûtaient encore plus qu'en plein 1944, à cette joie immense: l'un des innombrables plaisirs cachés de ceux qui jouent à faire la guerre.

Le colonel, l'oeil nerveux, scruta chacun de ses hommes. En silence. Longuement. Puis il demanda subitement:

— Y en a-t-il parmi vous dont le brevet de pilote soit périmé?

Aucun ne bougea d'une ligne. Le colonel rompit le silence de leur réponse:

— Je vous en félicite. Je connaissais à l'avance votre réponse. Un pilote de guerre ne lâche pas le manche à moins d'être forcé de le faire. Je parle d'un vrai pilote de guerre... Et autour de cette table, nous en sommes tous.

Il laissa planer un nouveau silence. Comme s'il avait voulu évaluer par ce moyen la discipline de ses aviateurs. Nouvelle source de satisfaction pour lui: chacun resta dans une expectative totale. Les yeux restèrent cloués à son charisme. Alors il dit sur un ton solennel:

— Messieurs, nous sommes en guerre.

Il capta les lueurs d'interrogation qui émanaient des yeux de ses hommes et il ne leur laissa pas le temps d'augmenter d'intensité.

— Si l'Ukraine voulait se détacher du territoire soviétique et former un État souverain, que se passerait-il? Le mouvement d'indépendance naîtrait à peine que les chars du Kremlin viendraient rétablir la paix et l'ordre. Si la Californie ou même l'Alaska voulaient en faire autant, que pensez-vous qu'il arriverait?

Bien des pays, ces dernières années, ont pu se laisser amputer de leurs colonies, mais lequel tolérerait que l'une de ses parties se détache et forme un État indépendant? Aucun. Et, advenant que le problème se pose, chaque gouvernement central déclarerait la guerre aux rebelles.

Or, voilà que la rébellion a germé en plein Canada, au sein de notre patrie et pourtant, le gouvernement semble devoir laisser faire...

Les lueurs interrogatives s'amenuisèrent, disparurent.

Osborne s'était préparé une harangue d'environ vingt minutes et au cours de laquelle il ajusterait le ton à ses propos dans un crescendo digne d'une prédication impériale.

— Est-ce concevable que le Québec se détache du Canada? Est-ce acceptable que...

Le premier pilote à la gauche d'Osborne supportait le regard presque féroce du colonel. Non seulement il le supportait avec aplomb, mais il semblait s'en laisser fasciner.

— Ces gens-là oublient-ils que nous aussi, étions là il y a cent ans? S'ils ont le droit à leur autodétermination, pourquoi nous de la minorité anglophone du Québec n'aurions-nous pas droit à la nôtre? Mais jamais ils ne voudront en entendre parler. Ils voudront nous assimiler. N'ont-ils pas commencé à le faire avec les lois qu'ils passent depuis quelques années?...

Le second pilote approuvait les paroles du colonel d'un perpétuel hochement de tête affirmatif. Il donnait l'air d'une poupée mécanique à la tête ultra-mobile.

— Voulez-vous me dire pourquoi une telle tension au Québec, dans notre propre patrie, dans un pays moderne, riche, développé?...

Le pilote suivant avait un visage stupide, ignorant et superstitieux. Le colonel ne s'y attarda pas et regarda son voisin dont le front large et le regard reposant indiquaient une intelligence pondérée par des sentiments vifs mais contrôlés.

— Ils vont jusqu'à nous accuser d'avoir provoqué cet état de rébellion. Comme si nous avions tout fait pour les subjuger, les assimiler...

Les trois hommes qui suivaient autour de la table se ressemblaient étrangement et c'est sans doute pour cela qu'ils avaient tendance à se regrouper chaque fois qu'il y avait réunion. Pourtant, il n'y avait aucun lien de parenté entre eux. Chacun était petit, trapu et laissait deviner que, plus jeune, son visage avait peut-être quelque chose de l'ange tandis que ses cheveux devaient être clairs. Aucun n'affichait le moindre sourire. De ces faces glaciales, implacables. De ces êtres capables d'embrasser leur fils au déjeuner avant de se rendre allégrement assassiner les fils de leur voisin dans le courant de la journée. De ces gens pour qui la notion per capita n'a rien d'économique ou de sociologique mais que de militaire, du genre: une balle par tête. Du genre médecin de camp du IIIe Reich. D'une douceur de traits à vous en donner froid dans le dos parce que mariée au plus cruel des regards.

Ils étaient les préférés d'Osborne parce qu'il connaissait leur indéfectibilité. Et le colonel savait bien que l'âge n'avait pas émoussé la puissance terrible de ces âmes. Ne craignant pas leur propre mort, ces êtres, tout comme leur chef, ne se formalisaient pas le moins du monde de celle des autres. Aux enterrements, ils étaient pourtant de ceux qu'on eût cru les plus affligés. C'est qu'ils avaient, mieux que d'autres, cette propension à se plier aux normes, à se soumettre aux ordres. Ils étaient des serviteurs fidèles mais remplis de cruauté. Le colonel lui-même les avait surnommés les trois colombes.

— Que serait notre vie dans un Québec séparé? Les francophones sont xénophobes, paranoïaques et pas favorables plus qu'il ne le faut à l'entreprise privée. Que nous arrivera-t-il? Dans un premier temps: la restriction de nos droits. C'est déjà commencé. Ensuite, l'avènement d'un État socialiste: les nationalisations, les attaques à la liberté d'entreprise. Et, tôt ou tard, le communisme nous chutera sur le corps et ce sera la fin de la liberté individuelle. Nous devons nous battre avec tous les moyens possibles pour empêcher cela...

Osborne regarda alternativement à plusieurs reprises les deux pilotes après les colombes. Le premier était un homme presque chauve, à la lèvre inférieure tombante, à la peau d'une pâleur cadavérique tirant sur le gris. Il avait ce teint terreux de ceux qui vont mourir bientôt, dans la chair de qui couve un cancer ou se prépare une cassure du coeur.

L'autre, au contraire, avait tout du bon vivant. Visage sanguin. Regard pétillant. Bonnes allures et bonnes manières. On l'avait surnommé Big Ben du temps de la R.A.F. en Angleterre. Il était homme à faire rire le diable et pour cette raison surtout plaisait à son chef. Une fois entre autres, sous un violent tir de la D.C.A. allemande, à la demande d'Osborne, il avait, par le biais de la radio, entretenu pendant cinq bonnes minutes toute la formation pour ce qui était devenu la mission de la grande rigolade.

— Ce n'est pas nous qui avons cherché la guerre, ce sont les rebelles. Combien de fois au cours de la guerre n'avons-nous pas risqué notre vie par amour de la liberté? Or, notre pays n'était pas directement en danger. Dans un contexte où la trahison est présente, juste là, en nos murs, laisserons-nous faire ? L'âge nous aurait-il ramollis ? Aurions-nous perdu le sens du devoir ? Non. Pas nous de la septième escadrille...

L'avant-dernier homme faisait figure de géant. Mais il n'était rien d'autre qu'un surhomme docile. Un homme un peu seul parce que la tête trop loin de celle des autres.

— Il nous appartient de sauver le Canada...

Le dernier pilote s'appelait Biggs. C'est à peu près tout ce qu'Osborne avait pu savoir de lui. Impénétrable, imperturbable, sans âge, ordinaire. Après la guerre, il était devenu un obscur fonctionnaire du gouvernement fédéral. Curieusement, sans doute subjugué par le mystère de l'autre, c'est en Biggs que le colonel avait la confiance la plus absolue.

— Jamais ces racistes ne vont cracher sur nous...

Le visage du colonel témoignait d'un violent afflux sanguin. Ses poings frappaient la table, souvent, violemment, lourdement. Ses yeux avaient maintenant tendance à s'exorbiter. L'habituelle élégance de ses manières avait fait place aux saccades furieuses et désordonnées d'un homme en proie à une diabolique emprise. Jusqu'à sa voix qui devint gutturale, rauque.

— Le Canada est l'un des plus grands pays du monde ; laisserons-nous une bande de rebelles fanatiques le scinder ? Nous faisons face à une situation d'urgence nationale. Que les rebelles et les traîtres soient démasqués et neutralisés. C'est eux qui ont déclaré la guerre ; c'est à nous de la gagner. Mes amis, mes frères de la septième escadrille, une grande mission nous attend. L'élite de notre société a mis entre nos mains un grand instrument de travail dont nous pouvons disposer à notre guise. Il s'agit d'une somme de cinq millions de dollars. Il nous faut établir une stratégie à partir de cet instrument et de nos compétences. Mais il s'agira d'une stratégie militaire car les racistes de l'autre camp, tricheurs et malhonnêtes, nous empêchent de nous battre au grand jour avec des armes propres. À leur violence, nous ne pouvons rien faire d'autre que de répondre par la violence. Mais au bout nous attend la grande, la merveilleuse victoire. Une de plus à l'actif de notre glorieuse formation. Notre victoire. Pure. Noble. Salvatrice. Bénie de Dieu.

Le colonel se donna la main droite avec la gauche et hurla dans son apthéose:

— Alle für einen!

Les assistants se levèrent tous sans hésiter pour imiter les gestes de leur chef. De la table, se répercutant aux quatre coins de l'immense pièce, un écho typiquement militaire résonna jusqu'au plafond:

— Alle für einen!

Quelques minutes plus tard, l'on se rassit et commencèrent les délibérations aux fins de savoir comment seraient utilisés les cinq millions.

•

L'Américain décrocha le téléphone et composa le numéro de son chef à Los Angeles. À l'autre bout, l'adjoint au directeur de la programmation d'ABC décrocha d'une main et passa l'autre soigneusement dans ses cheveux poivre et sel bien ordonnés, ondulés.

— Ça y est: l'affaire est dans le sac, annonça sans voix l'interlocuteur de Montréal.

— Les deux premiers ministres ont accepté officiellement?

— Officiellement. Il a fallu un peu plus de temps à celui du Québec, mais c'était pour se donner bonne conscience. Quant à l'autre qui, lui, n'a pas de conscience du tout, il a accepté sur-le-champ.

— Et le contrat est bel et bien signé avec leur réseau de télévision?

— Tout ce qu'il y a de plus signé!

— À la bonne heure...

L'homme gris se mit à griffonner des chiffres et poursuivit:

— Compte tenu de la publicité que nous allons vendre et des droits européens, nous réaliserons un profit de sept millions. Opération intéressante. C'est toujours payant de faire des affaires avec ces Canadiens. Toi qui les connais bien, n'aurais-tu pas d'autres suggestions pour?... Enfin, disons pour des placements. Si tu n'en as pas, reste encore une semaine ou deux sur place pour trouver quelque chose. J'aimerais bien que nous puissions y réinvestir ce sept millions parce que le Canada, comme je te le disais, c'est un pays payant.

— Quel commanditaire prévoyez-vous associer à la retransmission du match?

— I.B.M. Les pourparlers sont déjà avancés avec leur agence de publicité. C'est ce que ça nous prenait: I.B.M. Ça va faire plus chic pour un débat entre premiers ministres...

•

•

Ste-Thérèse de Blainville, le 13 avril

— Quel bon soleil! fit Mélanie en prenant une longue inspiration.

Elle marchait avec Guy Simard dans la cour du cégep. L'eau surgissait de sous les bancs de neige et venait envahir leurs pieds. Ils ne s'en souciaient guère puisque leurs pieds étaient fourrés tout là-bas au fond de bottes bien chaudes. Ce midi-là, ils avaient cédé à leur envie d'enfance de courir dans les flaques du printemps. Et puis c'est Mélanie qui avait proposé cette marche isolée à Guy.

Depuis sa rupture d'avec Jean, avait ressurgi en elle un intense besoin de parler à Guy. Mais elle avait réprimé son désir. Ce jour-là pourtant, le désir s'était ligué avec le soleil pour gagner. Et elle avait perdu.

— J'aurais aimé te parler plus souvent depuis Noël, mais j'ai senti que tu m'évitais.

Le grand jeune homme sourit et pencha la tête. Elle insista:

— Est-ce que tu m'évitais?

Il fit signe que oui.

— Mais pourquoi? Est-ce que je me suis mal conduite envers toi?

Il fit signe que non.

— Alors je ne comprends pas.

Il hocha sympathiquement la tête, mit sa main dans le dos de la jeune fille et lui dit avec sa douceur coutumière:

— Mais voyons, Mélanie, tu sais bien qu'une maladie, ça ne se guérit pas sans prendre les moyens qu'il faut.

Hésitante, elle demanda:

— L'amour, tu veux dire?

— C'est ça: la maladie de toi...

— Tu as dû m'en vouloir quand je t'ai annoncé que je sortais avec Jean.

— J'ai souffert, mais je ne t'en ai pas voulu parce que tu n'étais pas mon bien... en dépit de tout ce que tu penses des bourgeois. Et puis, d'un certain côté, il y a eu le contentement de savoir que tu étais heureuse avec lui. Et puis je savais que tu restais une grande amie pour moi et ça, vois-tu, c'est le plus important parce que c'est la relation la plus durable qui soit. J'ai remarqué que les unions qui ne se fracassent pas sont celles où l'amitié remplace l'amour quand l'amour s'en va. Parce que l'amour finit toujours par s'en aller. Plus on connaît l'autre, moins on l'aime d'amour. L'amour, c'est comme la grippe: ça vous bouleverse l'intérieur mais on s'en relève vite... Qu'on le veuille ou pas, il s'en va...

L'étudiante ne prenait pas au sérieux les propos de Guy. Ce soleil là-haut lui injectait au coeur un goût d'éternité. Bien sûr que Guy avait raison, mais à quoi bon? Elle ne voulait pas le savoir. Elle ne voulait rien savoir. Elle ne désirait que fermer les yeux et se laisser bercer par les rayons exquis. Elle plongea droit au but:

— Est-ce que tu vois Jean de temps à autre?

— On s'est vus dimanche.

Elle hésita:

— Il va bien?

— Pas trop.

— Et comment cela?

— Il t'a dans la peau. Et sa grippe d'amour à lui est en train de tourner en pneumonie.

Mélanie sourit intérieurement. Le soleil lui parut plus doux. Elle regarda un brillant amas de neige plus loin, plissa les yeux.

— On dirait, Guy, que tu nous pousses l'un vers l'autre, lui et moi. Tu te souviens au Jour de l'An?

— Ce n'est pas en étant jaloux que je t'aurais attachée à moi.

— Non, parce que j'ai horreur des gens jaloux.

— Et puis, je ne cherche pas à te détruire. Je veux plutôt t'aider à te construire. Ça peut faire mal là, mais ça contente là.

Il s'était désigné alternativement le coeur et la tête.

— Guy Simard, tu est imbattable. Il n'y a pas deux garçons comme toi dans tout Montréal.

— Qu'est-ce que j'ai de spécial?

— Tu es... comment dire... généreux. Pas égocentriste.

— Les hommes sont bien moins égoïstes que les femmes le prétendent. Des tas de copains auraient agi exactement comme moi. Crois-moi, je suis loin d'être imbattable.

Il se mit à rire, sortit une paire de lunettes noires de sa poche et les mit avant d'ajouter:

— Je ne suis rien d'autre qu'un petit bourgeois chromé. Mon père est un gros mangeur d'ouvriers. Il les assassine en jouant de l'orgue.

— Mon cher, tu te moques de moi et je n'aime pas ça. Où as-tu pêché tes verres fumées? Ils sont originaux.

— Au centre d'achats. Tu en veux? Ils sont unisexes.

— Tu continues, dit-elle avec un soupir agressif.

— On va dans un centre d'achats ce soir? Tu as besoin de quelque chose?

— Peut-être demain soir, mais pas ce soir.

— Ça me va. Je te prendrai chez toi à dix-huit heures.

— Il faut que je me procure un ensemble de printemps; je n'ai plus rien à me mettre sur le dos.

— Tu t'embourgeoises: courir les centres d'achats.

— Il faut bien s'habiller.

— C'est comme ça que ça commence.

— Et tu disais que toutes ces réflexions sur les classes sociales ne t'intéressaient pas.

— Et c'était vrai.

— Ça ne l'est plus?

— Ça l'est toujours.

— Alors quoi?

— J'agace parce que ça m'agace. Agacer et intéresser, c'est pas pareil.

Il y avait peu d'étudiants dans la cour et c'est presqu'en silence qu'ils poursuivirent leur marche pendant un bon moment.

— À quoi tu penses? finit-elle par demander.

— Tu devrais dire à qui? Je pense souvent à quelqu'un et rarement à quelque chose.

— Tu seras un mauvais homme d'affaires. En affaires, il faut s'intéresser aux choses et ne voir les personnes que comme consommateurs.

— Cette fois, c'est toi qui mets le diable dans la conversation.

— Je m'excuse. Alors à qui pensais-tu?

— À Jean... À Jean et à toi. À vous deux.

Elle balbutia :

— Dans quel sens, tu veux me dire ?

— J'ai envie de vous trouver stupides de passer à côté d'une bonne chose. Vous vous faites du mal inutilement. L'amour, le grand amour vous le teniez entre vos mains et vous vous êtes imaginé qu'il y avait des barrières. Ça, c'est être stupides.

— Ce n'était pas de l'amour, protesta-t-elle.

— Bon, voilà qu'il faudrait se mettre à discuter sur la définition de l'amour. Et on ne s'en sortira jamais.

— Qu'est-ce que ça donne de vivre quelque chose qu'on ne peut même pas expliquer ? Comment savoir si c'est vrai ?

— C'est pourtant si simple de savoir ce que c'est que l'amour.

— Alors explique, grand savant, explique.

— C'est quand tu es avec une autre personne et que tu as envie de lui crier : JE T'AIME.

Il avait crié le « je t'aime ». Mélanie regarda tout autour, mal à l'aise et dit :

— Tu es fou ? Ne crie pas si fort.

— J'ai envie de crier, moi. Nous sommes dehors et ça ne nuit à personne, que je sache.

— Au moins, crie autre chose.

— J'ai envie de crier ça.

— Qu'est-ce que les gens diront ?

— Que Guy Simard crie : JE T'AIME, cria-t-il à nouveau.

— Arrête : ils vont penser que nous sommes en amour pour de vrai.

— Ils feront les déductions qu'ils voudront bien faire. Tu n'aimerais pas qu'ils pensent que nous sommes en amour ?

— Non.

— Merci !

— Ça serait pareil pour n'importe qui.

— Tu as peur de l'amour.

— Encore un à me le dire.

— C'est que c'est vrai.

— À supposer que ce soit vrai, c'est pas parce que j'en serai consciente que j'aurai moins peur. Si t'as peur des serpents puis que tu le sais, ça ne t'empêchera pas d'avoir peur des serpents.

— Les serpents puis l'amour, ça ne se compare pas trop...

Elle replia sa bouche vers l'arrière et fit un signe de tête affirmatif. Puis elle dit :

— Que si, que si, que si !

— Comment ? demanda-t-il.

— Insidieux tous les deux. Hypocrites. Venimeux. Dangereux. Violents. Sauvages. Les mêmes vertus quoi ! Ils font du mal et puis s'en vont.

— Tu charries, Mélanie Germain. Ça, c'est l'amour où la jalousie a trop de place.

— La jalousie a toujours sa place en amour.

— J'ai dit : trop de place.

— En tout cas : trop peu pour moi. J'ai horreur de la jalousie et je suis contre l'amour, enfin contre ce que les gens appellent l'amour.

— Regarde, je vais casser un carreau de la petite cabane.

Guy s'approcha d'un amas de neige en sel et tâcha de se faire une boule. Comme la neige ne se laissait pas modeler et qu'il avait les doigts glacés, il lança ce qu'il avait dans la main, mais la boule se défit en mille gros cristaux et rien ne se rendit au but.

— Tu savais que Jean avait repris avec Linette? Tu sais la blonde...

Elle l'interrompit brusquement:

— Ça ne m'intéresse pas le moins du monde. Il est libre de faire ce qu'il veut. Ce qu'il a toujours été d'ailleurs.

— Tu vois: c'est ça, la jalousie. Faire semblant de ne pas s'intéresser. Se duper soi-même. Cacher son mal pour mieux l'ignorer. Une fille pas jalouse aurait dit sincèrement: je suis contente pour lui...

— Comment être contente? Cette Linette est une pimbêche et une tête de linotte sans éducation. Tu te souviens de sa conduite à Noël?

— Elle a fait quoi?

— Ah, bon, bon, bon, tu ne te souviens pas de ses airs de petite grue. Encore un peu et elle aurait raconté ses ébats amoureux avec Jean. C'est une petite vache.

Un nuage grêle atténua les rayons du soleil. Mélanie sentit se refroidir la peau de son visage. Les dernières paroles de Guy avaient sonné le glas de son enchantement. La nuque retenue, elle toisa son ami avec impertinence:

— Il faut être femme pour percevoir certaines choses. Au fond, je ne te blâme pas de n'avoir rien vu.

Guy croisa les bras et mit l'une de ses mains sur sa bouche pour dire:

— C'est la mesquinerie qui fait que les femmes perçoivent ces choses auxquelles tu penses.

Mélanie fit quelques pas en sautillant et se planta devant son copain, lui coupant la route. Elle plissa le nez, sortit sa langue et lui adressa une grimace extravagante.

— Mange un char de merde, fit-elle dans le plus pur accent québécois.

— Tiens: voilà l'utlime moyen de défense de la femme.

Elle rugit avant de tourner le talons pour se diriger vers l'école à petits pas secs mais qui faisaient refriser des millions de fines gouttelettes.

Guy cria:

— Ce n'était pas vrai pour Jean et Linette. C'était pour te donner un exemple de la jalousie des femmes.

Elle s'arrêta, rugit à nouveau, mais cette fois d'une voix pleurnicharde, frappa des talons, s'éclaboussa et reprit sa marche.

Le soleil et Guy la regardèrent fixement rentrer dans l'école.

•

Ce soir-là, Guy et Jean allèrent draguer dans une discothèque de Laval. Mine de rien, plusieurs jeunes filles vinrent offrir leur marchandise aux jeunes gens plus intéressés à leur verre et à leur bavardage.

En réalité, c'est Jean qui faisait montre de la plus grande indifférence et Guy s'en rendit compte. Il devina que le coeur de son ami était ailleurs et, une fois de plus, il se mit à la tâche de raccommoder les choses entre Mélanie et lui.

— J'ai parlé un bon bout de temps avec Mélanie ce midi...

— Ah bon! s'exclama Jean avec une indifférence affectée.

— Elle a le mal du printemps.

— Ce qui veut dire?

— Le soleil, la chaleur, la vie qui s'éveille: tu comprends?

— Non.

— Bien, il serait peut-être temps que tu t'occupes d'elle avant que quelqu'un d'autre ne s'en charge.

— Qu'est-ce que tu veux que ça me fasse? Nous avons rompu.

Jean porta son verre à ses lèvres et le vida d'un trait sec. Il héla le serveur et commanda la même chose. Puis il renchérit à sa phrase sur la rupture:

— Le passé est mort et enterré. La page est tournée. Demain, c'est aujourd'hui, tout de suite, ce soir.

— Tu aimes Mélanie.

— Aimais, mon ami, aimais. C'est pas mal différent.

— Tu l'aimes encore. La preuve, c'est que les autres ne te disent rien.

Jean haussa les épaules et sourit faiblement:

— C'est là que tu te trompes. Jamais je ne serai l'homme d'une seule femme.

— Oui, oui, d'accord, tous les hommes sont comme ça. Mais pendant l'amour, pendant les six, huit, dix mois que ça dure, tu seras comme les autres aussi c'est-à-dire fidèle. Et, de ce temps-ci, tu es fidèle. Donc...

— De quelle fidélité veux-tu donc parler? On est venus faire quoi ici ce soir?

— Justement quoi? Depuis le début de la soirée que nous poireautons sur nos chaises à téter notre verre. C'est pourtant pas les minettes qui manquent.

— Justement, ce ne sont que des minettes et ça ne me dit pas grand-chose.

— Écoute, mon vieux, tu veux que je te donne un bon conseil? Rappelle Mélanie. Je suis à peu près certain qu'elle espère de tout son coeur un coup de fil de ta part. Ne serait-ce que pour lui dire bonjour.

— J'peux pas faire les premiers pas. Tu comprends, Guy, c'est elle qui a tout cassé. C'est elle qui s'imagine que ça ne peut pas marcher entre nous deux. Mélanie, c'est comme une fleur enfermée dans sa bulbe et qui refuse de s'ouvrir, de s'épanouir au grand jour. Elle est repliée sur elle-même, sur son monde, sur son milieu. Pourquoi penses-tu qu'elle soit si nationaliste? Elle est constamment sur la défensive et se croit toujours victime d'exploitation. Pour elle, le monde est rempli d'exploiteurs: les Anglais, les capitalistes, les hommes... Elle a la hantise du complot.

— Moi, je crois que si tu lui donnes un coup de pouce, elle va s'en sortir. Elle a justement besoin de quelqu'un qui lui aide à s'ouvrir. C'est une fille qui crâne, mais au fond, elle est très faible. D'ailleurs, les plus crâneurs sont toujours faibles. Téléphone-lui. Qu'est-ce que ça va te coûter? Un brin d'orgueil? De l'orgueil, on n'en manque jamais...

— Je dois t'avouer que j'aimerais lui parler, la revoir, mais je n'ai aucune envie de faire les premières démarches. À elle de réparer les pots cassés. Autrement, je perdrai de ma force, de mon mystère auprès d'elle et je ne le veux pas.

Guy sourit en fixant le contenu de son verre. Il fit tournoyer les glaçons.

— Les amoureux, ça m'a toujours fait rire. Ça ne peut pas s'aimer en paix. Il faut tout le temps qu'ils se picossent le cœur l'un l'autre. C'est une sorte de masochisme qui ne s'explique pas, qui est probablement nécessaire dans les jeux des amants.

— Je pourrais te demander de me parler d'elle le moins possible, mais je vais te demander le contraire, Guy : parle-moi d'elle le plus que tu pourras. Je pense que c'est la meilleure façon d'oublier que je l'aimais.

— Il y a une bien meilleure, objecta Guy.

Jean questionna des yeux.

— La solution de remplacement. Partout, toujours, c'est un remède qui marche. Une de perdue, dix de retrouvées. Si tu t'arrêtes à elles, tu t'apercevras peut-être qu'elles ne sont pas que des minettes.

— Ça, j'en doute.

Les jeunes gens n'avaient pas remarqué l'arrivée à une table voisine, juste derrière eux, de deux jeunes filles inconnues. C'étaient deux blondinettes aux allures de la fille de la porte voisine. Pas voyantes. On aurait pu les prendre l'une pour l'autre tant elles étaient ordinaires. Le regard visqueux de gens qui ont fumé de la mari. Le sourire accroché au confluent de la sensiblerie et de l'euphorie.

— On les drague ? demanda Guy en les désignant.

— Elles ont l'extrême avantage d'être les plus proches de nous autres, jeta Jean avec un petit rire nerveux.

— Quelle méthode ? Paiements différés ?

— Avec les femmes, c'est encore la plus éprouvée.

Quelques instants après, ils firent parvenir des consommations à la table de leurs voisines. Alors seulement les jeunes filles montrèrent qu'elles avaient pris conscience de l'existence de leurs voisins. Elles esquissèrent un sourire de gratitude et retournèrent le plus sérieusement du monde à leurs propos. D'autres les sollicitèrent pour la danse, mais elles refusèrent.

Guy et Jean s'échangèrent des regards complices. Ils invitèrent les jeunes filles à la danse. Elles acceptèrent. Ils les invitèrent à leur table. Elles acceptèrent aussi.

La conversation s'engagea par bribes parfaitement échevelées:

— Tu t'appelles?

— Nicole Dupuis.

— Et moi, Jean Carrière.

— Suzanne Bourbonnière.

— Guy Simard.

— C'est une belle discothèque...

— Comment?

— C'est une belle place, ici.

— Oui.

— C'est une des plus belles discothèques de Laval.

— Oui.

— Et même de Montréal.

— Oui.

— La musique est bonne aussi.

— Ah oui!

— Le son surtout.

— Oui.

— L'ambiance, ça fait différent.

— Oui.

— Et puis c'est jeune, ça bouge.

— Oui.

— Êtes-vous toutes les deux de Laval?

— Oui, oui.
— De quel quartier?
— Fabreville.
— Ah bon!
— Eh oui!
— Vous venez souvent ici?
— Non.
— C'est la première fois?
— Oui.
— Nous aussi.
— Ah bon!
— Il fait chaud ici, vous ne trouvez pas?
— Non.
— Vous voudriez une autre consommation?
— Oui.
— La même chose?
— Oui.
— J'ai failli ne pas pouvoir venir ce soir.
— Ah bon!
— Un trouble sur l'auto.
— Ah?
— Pas grave. La strap de fan.
— Ah, ah...
— Mon chum a une Camaro et moi aussi, mais on est venus ensemble.
— Oh, oh...
— Ce que j'aime dans les discothèques, c'est qu'on rencontre du monde intéressant.
— Hum, hum...
— Êtes-vous étudiantes?
— Oui, oui.
— Au cégep?
— Oui, oui.
— À quel cégep.

— C'est quoi déjà le nom de notre cégep ?

Après une couple d'heures de dialogue, les quatre jeunes convinrent de quitter les lieux.

Au cours de la soirée, Guy et Jean, pendant l'absence des jeunes filles, s'étaient entendus pour proposer d'abord le motel, ensuite le restaurant, histoire de ne pas investir trop et de se retrouver, comme la chose s'était déjà produite, Gros-Jean comme devant.

Guy conduisit son auto jusqu'à un motel de Ste-Rose, à quelques milles et stoppa devant le bureau en disant :

— On va au motel. Que ceux qui s'objectent lèvent la main.

Aucune des deux filles ne dit mot. Des chambres contiguës furent louées et l'on convint d'un signal sonore sur la cloison quand l'un des couples aurait fini. L'autre répondrait à son tour quand il serait prêt à partir.

Guy et Nicole se firent tour à tour une petite toilette et se retrouvèrent entortillés, à demi nus, sur le lit. En fait, sans s'être donnés le mot, ils avaient enlevé tous leurs vêtements sauf leur slip.

La jeune femme avait un corps plutôt ténu avec de minuscules seins striés de veines violacées, plantés entre les épaules comme deux cerises sur une planchette. Elle avait quelques vergetures aux hanches ; des hanches qu'elle bougeait sans arrêt, se frôlant langoureusement au sexe de son compagnon. Ils s'embrassèrent longuement, mettant en action chaque muscle de leur visage, tantôt frottant leurs lèvres, tantôt s'échangeant de la salive, tantôt se dardant l'un l'autre de puissants coups de langue, tantôt s'exerçant de bruyantes succions.

La main de Guy se mit à courir dans le dos de sa compagne, s'introduisit sous l'élastique de la culotte, caressa les fesses menues, s'arc-bouta aux hanches et fit glisser le vêtement vers le bas.

Nicole se mit à frémir. Des narines d'abord puis de tout le corps, indice d'absence totale d'inhibitions. La main de Guy glissa lentement jusqu'au pubis. Mais elle n'eut rien à chercher, rien à trouver puisque la fille cambra les reins pour aller à la rencontre des doigts fureteurs et qu'elle s'ouvrit largement les cuisses pour offrir son sexe rose et dégoulinant.

Guy fit tournoyer ses doigts dans la chair tendre et chaude. Il venait de commencer que l'adolescente se mit à renâcler, tout son corps secoué d'interminables convulsions. Elle émit quelques plaintes sporadiques puis plus fréquentes et finalement, c'est un long et intense gémissement qui s'échappa non seulement de sa bouche mais de son corps tout entier.

Guy doubla l'intensité de sa caresse. La jeune fille répondit par de violentes poussées du bas-ventre. Alors ce fut l'ascension rapide. Sa bouche redevint une prodigieuse soufflerie cherchant avec avidité à absorber tout l'air de la pièce. Les poussées se transformèrent en torsions énormes. Ses bras s'agitèrent désespérément au-dessus du lit comme ceux d'un noyé au-dessus de l'onde, puis ils s'abattirent dans la chair du dos de son sauveteur. En même temps qu'un son moitié-cri moitié-râle s'échappait de sa bouche, elle referma des cuisses brutales emprisonnant la main qui venait de la délivrer.

Toute l'ardeur de ses sens était maintenant déchaînée et remuait chacune des cellules de sa chair d'une folie furieuse, suavement incontrôlable.

Le peu de conscience qui lui restait guida sa main sur le sexe de Guy. Elle lui retira son slip et empoigna la tige d'acier tandis que l'autre main signalait à son compagnon de venir en elle. Il s'ajusta. Elle appuya le gland sur sa vulve et poussa. Il se laissa avaler délicieusement par le ventre brûlant de sa fulgurante partenaire.

Dans l'autre chambre, Suzanne attendait patiemment, allongée, nue. D'une nudité qui ne parvenait pas à faire oublier tous les artifices rajoutés à sa personne: ombre à paupières, crayon à sourcils, mascara, rouge à lèvres, poudre, déodorants, parfum, crème pour la peau, bijoux accrochés à ses oreilles, à son cou, à ses poignets, à ses hanches, à ses chevilles, à ses doigts. Ses cheveux teints en blond étaient impeccables: bien tournés, ondulés, enduits de fixatif. Et ses ongles reluisaient de brillance rose.

Tout cela la rendait plus désirable. Elle s'était déshabillée très rapidement dès leur arrivée dans la chambre. Jean avait enlevé ses vêtements sans enthousiasme. Entre le désir de Suzanne et son esprit, il y avait une barrière érigée par l'image de Mélanie. C'est d'elle dont il avait envie, pas de la première venue. Et pourtant, à quoi bon? C'était fini avec Mélanie. Quelle raison avait-il d'être fidèle à un souvenir?

« Et puis, se dit-il, mon corps est à moi. Même si nous n'avions pas rompu, je n'aurais pas de comptes à lui rendre... »

D'où venait donc ce manque d'intérêt? Il y avait là, nue, s'offrant, une femme jeune, attrayante. Mais il n'avait qu'une pensée en tête: aller se coucher chez lui, dans son lit, seul, loin de ce motel, de cette fille à la cuisse trop légère.

Il était assis sur le rebord du lit et regardait dans la demi-obscurité le corps blanc de la jeune femme. Il lui trouva de beaux seins, des hanches fines, des cuisses invitantes.

Alors il pensa qu'il était trop tard pour se défiler et qu'il lui faudrait faire l'amour s'il ne voulait pas perdre la face.

Il entreprit de la caresser doucement, directement entre les jambes. Les poils étaient rêches, désagréables au toucher. Il poursuivit son geste mécanique, l'oeil bête de celui qui accomplit une chose qu'il ne désire pas faire, mais qui doit faire semblant que ça lui plaît.

Suzanne percevait-elle l'état d'âme de son compagnon? En tout cas, elle restait figée comme un bloc de marbre.

Dans la tête de Jean, les idées s'entrechoquaient. Mais par-dessus tout, il s'en voulait à cause de son impuissance à balayer des tiraillements pour les remplacer par le plaisir sexuel pur, sans complications, ce plaisir qui à lui seul peut combler totalement une heure de mâle humain, et qu'il avait souvent connu déjà.

Il fut distrait de sa tempête psychologique par un geste de Suzanne. Elle l'avait pris par les hanches et invité d'une pression des mains à se coucher sur elle. Il répondit au signal et s'installa confortablement dans la chaude vallée des cuisses ouvertes.

Depuis leur arrivée dans la chambre, tout s'était passé dans le silence le plus complet et même le lit n'avait émis aucun son. Cela avait augmenté la tension dans l'âme du jeune homme. Il lui semblait de plus en plus que toutes les choses comptaient sur sa virilité. Une virilité endormie, chloroformée par un visage exquis aux yeux-étoiles.

Suzanne l'incita à se débarrasser de son slip, puis elle ramena ses genoux plus haut dans un geste d'offrande et de réceptivité. Ses bras se tendirent, entourèrent, enveloppèrent. Les deux corps se touchèrent. Jean ne sentit que de l'inconfort. Sensation qui lui fit penser:

« Mais je suis malade ou quoi? Je me laisse hanter par des souvenirs, par l'image d'une fille qui ne veut rien savoir de l'amour ni physique ni du coeur. Et j'ai dans les bras un corps prêt, chaud, gagné d'avance, et me voilà impuissant. Ah, bon Dieu, ça va faire!»

Il concentra son esprit sur la sensation qu'il éprouverait dans quelques minutes, au moment où il pénétrerait dans le ventre de Suzanne, à tout le plaisir dont son corps serait enveloppé, aux parois soyeuses qui tireraient de leur prisonnier toute sa puissance éjectée à travers les spasmes fabuleux. Il accompagna la naissance de son phantasme d'un mouvement giratoire du bas des reins, ce qui lui permit de sentir la douceur moelleuse d'une féminité mouillée.

Suzanne lui prit fermement la tête et plaqua sur sa bouche des lèvres béantes et une langue pugnace.

Jean se souvint du premier baiser que Mélanie et lui s'étaient donné. Le premier vrai. Intime. Ça s'était passé à St-Sauveur, le matin de leur première randonnée. Au sortir du chalet, avant de monter leurs skis, il avaient regardé le panorama. Elle s'était exclamée de joie. Il l'avait prise par les épaules. Leurs souffles blancs s'étaient mélangés et leurs lèvres s'étaient touchées comme des ailes d'anges se frôlant furtivement. Froides mais combien divines, ces lèvres du plus beau visage du monde.

Jean ramassa toutes ses énergies décuplées par l'intensité du souvenir et il se projeta hors de l'emprise de ce corps cherchant à l'absorber. Il roula sur le côté et sa bouche éjacula d'une série de mensonges :

— Je suis incroyablement fatigué parce que je n'ai pas du tout dormi la nuit dernière. Et je n'ai pas dormi parce que j'ai fait l'amour à plusieurs reprises. Si j'avais su que j'aurais entre les bras ce soir une fille aussi jolie que toi, j'aurais attendu et je me serais reposé... Parce que la fille, tu sais, elle n'était pas très belle... Tandis que toi... Et pour couronner le tout, ce soir, j'ai bu un peu fort. Sans parler des problèmes avec mon auto...

— C'est quoi, ton auto, déjà?

— Camaro.

— Ah, c'est l'fun!

— En tout cas, j'espère que tu ne seras pas trop déçue.

— Mais non, pas une miette! On se reprendra. C'est quoi ton nom de famille déjà?

— Carrière.

— Tu fumes, toi?

— Tabac ou mari?

— Bah, les deux?

— Ni l'un ni l'autre.

— T'as essayé?

— Oui, mais ça ne me fait pas grand effet. En plus, ça me donne mal à la tête.

— Nicole puis moi, on fume toutes les fins de semaine. Avant d'aller danser. Des fois après...

— Je n'ai rien contre pour les autres, mais ça ne me dit rien pour moi-même.

— En tout cas, Nicole puis moi...

Elle fut interrompue par trois coups secs sur le mur du fond.

•

Rosemère, le 1er mai

Bertrand Germain avait détaché sa ceinture pour mieux respirer et digérer. Il avait engouffré une montagne de pain avec sa soupe aux pois. Puis il avait dévoré un respectable spaghetti. Et il avait fini de se paqueter avec deux pointes de tarte aux pommes.

Il mangeait rarement le matin et peu le midi. Le soir, il mettait la bride sur le cou à sa faim et à sa gourmandise. Prendre le souper à la maison en compagnie de sa femme et de sa fille, pour lui, c'était le meilleur moment de la journée. Sa femme faisait de bons plats et Mélanie avait toujours des choses intéressantes à raconter.

Il se sentait fier de sa maisonnée, lui, parti de si loin, de si près de zéro, alors qu'à l'âge de quinze ans, il avait fui la maison et les coups de pied de son père pour chercher une vie meilleure en ville.

Il avait trimé dur, à la petite semaine, pendant plusieurs années pour devenir un homme. Et il savait qu'il en était un. Car pour lui un homme, un vrai, ce n'était pas un rustre comme son père, mais un être également fort dans la relève des défis quotidiens et dans les épanchements de tendresse autour de lui.

Un jour, il avait connu Thérèse, ce curieux mélange de naïveté, de bonhomie et de perspicacité. Il l'avait épousée. Mélanie était née et avait hérité de la volonté de son père et de l'intelligence de sa mère.

Dans la maison, toutes les choses finissaient toujours par tourner à la bonne humeur, y compris la mauvaise humeur elle-même. Le trio vivait dans un joyeuse camaraderie et chacun avait sa voix au chapitre. Aussi loin qu'elle se souvienne, Mélanie avait toujours eu son mot à dire dans les décisions touchant la famille. Même les plus importantes. C'est ainsi que d'un commun accord, six ans auparavant, l'on avait quitté le quartier Rosemont de Montréal pour venir s'établir ici, sous les arbres, dans cette maison à la fois humble et charmante, sise en bordure de la rivière des Mille Îles.

Toute sa vie cependant, Bertrand devait haïr ce qui pouvait représenter l'autorité paternelle. Au plan socio-politique, cela se traduisait par une lutte farouche contre le parti libéral et la classe sociale à laquelle appartiennent généralement les leaders de cette formation. Un psychologue simpliste aurait dit de lui qu'il identifiait son père aux libéraux de Québec et d'Ottawa et sa mère au nationalisme québécois qu'incarna à ses yeux tout d'abord l'Union nationale puis le parti québécois. Et qui plus est, son père avait toujours voté rouge et sa mère avait toujours voté bleu...

Aux nouvelles télévisées, un reportage spécial sur le débat des chefs venait de se terminer. Quatre journalistes prétendument neutres avaient fait part de leurs commentaires sur les performances de chacun des premiers ministres.

Les journalistes avaient donné des notes à chacun des protagonistes. Somme des résultats: match nul.

Bertrand avait bondi:

— Jamais de la vie! Trudeau s'est fait royalement avaler hier.

Mélanie avait objecté:

— Papa, nous ne sommes pas assez neutres pour juger. Peut-être que les fédéralistes pensent que Trudeau a eu le meilleur.

— Mais c'était pourtant clair! À combien d'arguments Trudeau a-t-il été incapable de répondre? Il patinait. Il esquivait. Moi, je lui aurais donné trente pour cent.

— Au cégep, aujourd'hui, on s'accordait pour dire que la rencontre avait été serrée.

— Mais voyons donc, Mélanie, depuis quand défends-tu Trudeau?

— Papa, je ne défends pas Trudeau, j'essaie d'être honnête pour juger d'un débat télévisé. Bien sûr que j'aimais mieux ce que disait le premier ministre du Québec, mais c'est normal puisque je suis engagée de son côté. Malgré ça, je dis qu'un observateur neutre a peut-être raison de ne pas le juger gagnant.

— Ah, les jeunes, vous mélangez tout!

Mélanie se mit à rire. Elle s'approcha de son père, l'embrassa.

— Je ne sais pas, mon petit papa, qui de nous deux mélange les choses.

— Anyway! Changement de propos, as-tu des assemblées de cuisine cette semaine?

— Une. Et tu ne croiras pas où.

— Où?

— À Rosemère... De l'autre côté de Grande-Côte.

— Y'a pas un sacré indépendantiste dans ce bout-là. Ni d'indécis non plus. C'est que des libéraux fédéralistes à moitié Anglais pour la plupart et à moitié assimilés pour les autres.

— Je le savais que tu ne me croirais pas.

— Explique-moi où.

— Chez les Fabi.

— Bernard Fabi?

— Hu, hum...

— Ils ont pas mal des allures libérales, ces gens-là.

— Mais les enfants sont souverainistes. Et les parents sont en voyage.

— J'pense que ça va être pas mal plus un party de jeunes qu'une assemblée de cuisine sur le référendum.

— Je te jure que si c'est autre chose que prévu, je vais lever les voiles.

— Y a-t-il des gens à convertir dans ce coin-là?

— Plusieurs. Les enfants chez Francoeur, ça branle dans le manche. Même chose chez les Prévost, chez les Richer. Même Nicole Mainville m'a dit que ses parents commençaient à pencher du bon bord.

— Eh ben, on est à la veille de plus voir beaucoup de fédéralistes dans la province à part des Anglais, dit Bertrand en s'esclafflant. Et il cria à l'adresse de sa femme encore affairée dans la cuisine:

— Thérèse, tu veux me préparer un bon café?

— Papa, je t'en prie, prends pas maman pour une servante. Va te le préparer toi-même, ton café.

C'est assez que tu ne l'aides pas à faire le repas ou la vaisselle...

— Tut, tut, tut, tut, ma grande. Les femmes se plaignent de servir les hommes et au fond, c'est ce qu'elles aiment. Les histoires des féministes, ça me fait rire. Les féministes, elles ne connaissent rien aux femmes...

— Voilà que tu charries encore, papa. Je pense, moi, qu'une femme a pas mal plus de chances de connaître une autre femme qu'un homme. Comment peux-tu être un expert sur ce qui se passe dans la tête des femmes?

Il hocha la tête en soupirant mais ne répondit pas. Il s'avança sur son fauteuil pour montrer qu'il prêtait maintenant toute son attention à la télévision.

— C'est un reportage sur la marche des travailleurs? se questionna tout haut Mélanie. Les gens de la ligue marxiste-léniniste voulaient que je les accompagne à la marche aujourd'hui. Ils sont teignes, c'est pas possible! Parce que je gueule contre les exploiteurs, ils pensent que je suis comme eux.

— Comme les exploiteurs?

— Ben non! Comme les marxistes. Papa, essaye donc pas de me faire marcher.

— T'as entendu? Paraît que le premier mai n'a jamais été aussi mort que cette année.

— J'comprends! Avec le débat d'hier, c'est la fièvre du référendum qui atteint tout le monde.

— Tu sais ce que j'entendais à la radio tout à l'heure? Les chefs syndicaux ont déclaré que le parti québécois avait trahi les travailleurs et que les centrales vont désormais oeuvrer dans le sens de la formation d'un parti politique nouveau, indépendantiste et surtout socialiste. À mon avis, c'est aller beaucoup trop loin. Le gouvernement peut toujours pas tout faire à la fois.

— Ça ne serait peut-être pas une mauvaise chose. C'est vrai que l'égalité entre les gens, ça s'en vient pas si vite que ça avec le P.Q.

— Écoute Mélanie, aller plus vite que le P.Q., ça serait pratiquement faire la révolution.

Thérèse arriva avec deux tasses de café fumant. Elle en tendit une à son mari et offrit l'autre à Mélanie:

— Comme tu l'aimes: crème et sucre.

— Garde-le pour toi, maman. Assieds-toi avec papa. Je vais finir le travail à la cuisine.

— Tout est à l'ordre. Tiens, prends. Je viens d'en finir un, moi.

La mère et sa fille se ressemblaient sous plusieurs aspects: nez, bouche, yeux, cheveux. Et l'ensemble aussi. Mais elles différaient sur bien d'autres: moraux surtout.

— Mélanie, je t'entendais de loin discuter avec ton père. Les garçons ne doivent pas toujours aimer tes sujets de conversation, dit la femme en prenant place à côté de son mari.

— Ben quoi, l'indépendance, c'est un sujet qui intéresse tout le monde, non?

— L'indépendance peut-être, mais les histoires de marxisme, ça me surprendrait.

Un nuage assombrit le regard de Mélanie et transporta ses yeux au loin. Elle dit d'un ton las, une pointe de cynisme au coin des lèvres:

— J'ai parlé un peu vite. Il y en a que le sujet de l'indépendance n'intéresse pas.

— Comme Jean Carrière?

— Comme Jean Carrière.

— Il n'était pas trop pour le P.Q.?

— Pas trop contre non plus. En fait, il n'était pour rien. Incapable de se brancher. Trop mou. Être élevé dans la soie, ça ne développe pas trop les muscles.

Thérèse prit une bruyante gorgée de café, eut l'air de réfléchir, jeta machinalement pour masquer sa véritable intention:

— Il ne devait pas être un garçon pour toi.

— Faut croire que non puisque ça n'a pas duré.

— Vous étiez si différents, ajouta la mère avec un regard oblique.

Le nuage dans les yeux de la jeune fille devint buée. Une immense nostalgie vint noyer son âme. Elle réfléchit tout haut:

— Pourquoi ça n'a pas marché? Pourquoi ça ne marche jamais?

— Pourquoi ne lui téléphones-tu pas?

— Parce que nous n'avons plus rien à nous dire.

— Ah, parce que dans une douzaine de rencontres, vous avez eu le temps de tout vous dire?

— Mélanie fit un hochement de tête désabusé, mordit sa lèvre puis ses mots:

— Maman, parlons d'autre chose...

— Tu es sûre que ça ne te ferait pas de bien, au contraire, de parler de tout ça. Tu ne l'as jamais fait et...

La jeune fille prit deux très longues respirations avant de répondre:

— Non... Oui... Non... Je ne sais pas. Il y a tant de choses qui me sont devenues difficiles depuis quelque temps. Avant, j'étais sûre de moi. Maintenant, j'ai comme la tête pleine d'hésitations, de questions.

— Il y a de ces périodes d'hésitations à tout bout

de champ dans la vie. Ça n'a rien d'inquiétant. Ceux qui n'en ont jamais devraient, eux, s'inquiéter. Mais ça passe, tu verras.

Bertrand, qui depuis l'arrivée de sa femme était resté rivé à l'écran du téléviseur, jeta soudain après un long rire sonore :

— T'as vu les marxistes-léninistes, Mélanie ? Ils vont manifester avec des pancartes et ils se cachent le visage derrière comme des bandits qui ont peur d'Allo-Police.

— C'est pas nouveau, papa, ils ont toujours fait ça.

Thérèse déposa sa tasse sur la table devant le divan. Une lueur malicieuse étincela dans ses grands yeux intelligents. Elle dit :

— Eux autres aussi, au fond d'eux-mêmes, doivent s'en poser de sérieuses questions.

•

Montréal, le même soir

Régis Wilson entra dans son petit appartement. Il enleva sa veste et la jeta en direction d'un étroit canapé adossé à un mur tapissé de papier criard.

Son second geste fut d'allumer le petit téléviseur, une antiquité lui servant d'unique compagnie depuis qu'il avait emménagé dans ce deux-pièces du centre-ville de Montréal.

Une main visqueuse, tentaculaire serrait son coeur, le broyait : c'était la solitude. Mais pas n'importe laquelle. Celle de celui qui a toujours vécu dans sa petite ville de campagne où les gens s'envoient la main en revenant de l'épicerie, et qui au début de la trentaine s'est retrouvé au coeur d'une cité où l'anonymat est maître. Celle de celui qui menait une vie relativement heureuse, entouré de sa femme et de son fils dans leur maison de ce coin de pays où les liens entre les êtres sont si profonds et qui s'est revu déraciné, séparé des siens, perdu dans la jungle urbaine. Celle de celui qui avait travaillé pendant dix ans dans l'enseignement avec plein de gens autour de lui et qui, maintenant, chômait depuis près d'une année.

L'homme retourna au divan, s'y laissa tomber. À l'écran, l'image se précisa. En noir et blanc. C'était un téléroman. Il retourna à l'appareil et tourna le bouton de sélection des canaux pour entendre les nouvelles qui devaient tout juste commencer à l'autre station.

Il tomba en pleine marche des travailleurs. Des pancartes identifiaient un groupe de grévistes. Il eut un haut-le-coeur en songeant à toutes les privations qu'il s'était imposées depuis plusieurs mois, depuis qu'il avait pris conscience qu'il était devenu chômeur et qu'il lui avait forcément fallu prévoir d'étirer le plus possible le petit pécule dont il disposait.

Alors il vit la grève d'un autre oeil, lui qui avait été en tête de file des débrayages d'enseignants en 1976.

— Tas de cons, pensa-t-il tout haut.

Une fixité sombre gela son regard, lui donnant l'air d'une momie traquée. Il se négligeait depuis que sa femme l'avait quitté, emmenant avec elle leur fils de cinq ans. Ses cheveux paraissaient morts. Et gras. Ses vêtements étaient devenus lâches tant son corps s'était amaigri depuis que la vie, sans crier gare, s'était mise à le meurtrir de tous les côtés à la fois.

Son hébétude le transporta en cette soirée terrible du printemps de l'année d'avant quand il avait découvert la duplicité qui s'était installée dans son ménage.

Il était à finir de bricoler un petit meuble pour Louise. Pour sa petite chambre à couture. Il avait entendu la sonnerie du téléphone, au loin, là-haut. François avait ouvert la porte et crié:

— Papa, viens au téléphone.

Il avait pensé à Louise en remontant du sous-sol. Elle lui annoncerait qu'elle était sur le point de revenir à la maison et lui demanderait s'il avait le goût de quelque chose: un journal, une revue.

Il avait décroché.

Une voix cynique, éraillée, avait répandu méticuleusement de l'acide dans les moindres recoins de son cerveau:

— Votre femme ne pourrait-elle pas se contenter d'un seul homme? Allez donc voir ce qu'elle fait en ce moment au bureau de l'avocat Lalonde...

Et le déclic avait suivi. Le récepteur était resté cloué sur son oreille. Son corps avait tressailli, mais juste un peu. Toute la folie s'était logée dans le regard. La voix primesautière de François l'avait sorti de sa torpeur:

— C'était maman?

Ce mot maman dans la bouche pure de l'enfant lui avait paru un sacrilège, une effroyable profanation. Il redoutait depuis plusieurs mois cette minute immonde car Louise s'absentait si souvent en des moments si insolites et sous des prétextes si bizarres qu'il eût fallu être absolument stupide pour ne pas nourrir des craintes. Mais il avait opté pour la confiance et s'était dit qu'une chose pareille ne pouvait pas lui arriver à lui. Et pour être encore plus certain, il s'était mis à entourer sa compagne de toutes sortes d'attentions.

Il avait raccroché et entendu l'enfant répéter sur un ton candide!

— C'était maman?

Il n'avait pas pu répondre. Une boule énorme bloquait toute idée au creux de sa gorge. Il avait passé la main dans les cheveux revêches de son fils et acquiescé d'un signe de tête. Et l'enfant, en trottinant, était reparti vers sa chambre en criant:

— Bonne nuit, papa. Dis à maman de venir m'embrasser quand elle arrivera.

Son coeur avait explosé. Un épais rideau de larmes avait mouillé son âme, ses yeux, s'était écoulé sur ses joues jusqu'à sa bouche.

Puis, tout à coup, il s'était ressaisi. Après tout, Louise avait travaillé pendant plusieurs mois comme secrétaire de Lalonde. Il y avait peut-être une bonne raison pour qu'elle fût là. Comme un noyé, il avait cherché à se raccrocher à n'importe quoi. C'est pour cette raison aussi qu'il avait appelé son meilleur ami et qu'il lui avait carrément posé la question. Il se souviendrait éternellement de ce deuxième coup de hache en plein front que se trouva à lui asséner son ami par sa réponse à la fois laconique et logique:

— Autant te faire subir le choc tout de suite, mon vieux. Ils sortent depuis plusieurs mois. C'est connu parce qu'elle ne s'en cache pas et qu'on les voit régulièrement ensemble en public. Puisque tu es sur la piste, tu n'auras pas à chercher longtemps pour savoir de toute façon. Mais le temps que tu vas chercher, ce sera la torture. Mon devoir était de te cacher la vérité, mais comme une âme charitable t'a jeté la mort dans l'âme, mon devoir est maintenant de te la dire...

L'autre continuait de se justifier quand Wilson avait lentement raccroché. La douleur avait fait place à une rage tranquille.

La suite de cette nuit-là s'était déroulée de façon si confuse ! Il y avait eu le retour de Louise, une querelle violente, les accusations, les pleurs, les aveux, les coups, les cris. Un souvenir lui était resté bien net en mémoire: celui du petit garçon qui, au plus fort de la dispute s'était levé pour venir voir ce qui se passait. L'enfant avait risqué un oeil peureux dans l'entrebaîllement de la porte de sa chambre. Frimousse penaude, il avait mis son petit doigt dans sa bouche, dans ce geste familier qui indiquait chez lui de l'inquiétude ou de la frayeur.

Dès lors, l'altercation avait changé d'allure et le bambin était devenu l'enjeu de leurs menaces respectives.

Un autre souvenir tout aussi cruel n'avait jamais depuis ce soir-là cessé de hanter son esprit. Louise avait critiqué leur vie sexuelle et laissé entendre que l'autre, lui, pouvait la combler. Le peu d'amour-propre qui lui était resté venait de se faire démolir, raser d'un coup inouï, imprévu, impensable.

Cette nuit cauchemardesque avait été suivie de plusieurs autres. Et c'est les yeux en feu que chaque matin par la suite, il avait quitté la maison pour l'école. À son travail, il avait pris une attitude de chien battu comme si l'humanité entière avait les yeux braqués sur lui et sur sa honte.

Puis, colère, peur, douleur, désir de divorcer s'étaient quelque peu estompés au fil de ses décisions. Il avait donné sa démission à son employeur, mis la maison en vente et avisé Louise qu'ils déménageraient à Montréal. En tout, elle avait gardé le silence le plus total.

Il s'était dit qu'ils pourraient recommencer à neuf en ville, qu'ils pourraient continuer de vivre ensemble pour l'enfant, que le temps arriverait peut-être à cicatriser les plaies, qu'au moins là-bas il n'aurait pas l'occasion de déceler de la moquerie dans le regard des gens. Malgré la pénurie de postes dans l'enseignement, il avait pensé qu'il restait toujours des places disponibles en septembre et qu'il se contenterait de n'importe quoi.

Tout n'avait pas marché comme prévu. Ils avaient bien déménagé, mais lui n'avait pas pu se trouver une place de professeur. Louise n'avait pas eu de mal à se trouver un emploi de secrétaire et au milieu d'octobre, la veille de l'anniversaire de leur fils, elle avait quitté leur logement avec tous ses bagages et l'enfant.

Il avait compris son départ au retour d'une autre longue journée de quête d'un emploi dans les centres de main-d'oeuvre et les magasins.

Elle avait jeté quelques mots sur un bout de papier :

« Rien ne va plus entre nous deux. Nous n'étions pas faits pour vivre ensemble. Ne cherche pas à savoir où nous sommes allés, tu perdrais ton temps. Je ne le dirai à personne avant un mois. Crois-moi, c'était la meilleure façon de nous séparer. »

Jamais il ne saurait s'expliquer la bizarrerie de ses actes dans les semaines qui avaient suivi. Sa première réaction avait été de rire aux éclats et de crier : VIVE LA LIBERTÉ. Puis il avait consulté son carnet de banque et décidé de fêter son célibat retrouvé. En l'espace d'un mois, il avait brûlé la moitié de son argent dans les bars du bas de la ville. Trois mille dollars s'évanouirent en folie furieuse. Il s'était fait d'innombrables amis d'un soir. Il avait donné à maintes prostituées un pourboire équivalent aux honoraires professionnels.

Quand Louise l'avait contacté, il lui avait dit ce qu'il avait dépensé.

— Ce n'est pas si cher pour apprendre à vivre, avait-elle commenté.

Alors il avait tâché de se reprendre en mains. Il avait vendu ses meubles, s'était déniché un appartement moins cher et s'était remis en quête d'un emploi. Il s'était adressé à Radio-Québec, Radio-Canada, à des journaux, à des revues. L'on avait pris son nom en note. Il était devenu vendeur de chaussures rue Ste-Catherine. Il avait été renvoyé après trois jours parce que trop peu souriant.

On ne devient pas facilement vendeur dans un magasin ou employé du gouvernement ou garde de sécurité comme ça, en plein trente-trois ans parce que les employeurs éventuels se posent des tas de questions et redoutent autant un chômeur diplômé qu'un ex-détenu. C'est ce que Wilson avait fini par comprendre à l'analyse des questions et attitudes de ceux qu'il avait rencontrés.

Au temps des Fêtes, il avait réussi à se faire embaucher comme surnuméraire par la R.A.Q. Et après : plus rien. Deux essais via le C.M.C. : deux renvois.

Il avait pu revoir son fils une fois par quinzaine en vertu d'une entente temporaire avec sa femme. Ni l'un ni l'autre n'était prêt à demander le divorce dans l'immédiat. Il n'avait pas les moyens de le faire. Elle se disait qu'elle ne pourrait rien obtenir d'un chômeur fauché et qu'il vaudrait mieux attendre au cas où.

Combien de fois dans ses longues soirées d'esseulement avait-il revu en sa tête le film de tous ces événements? Combien de fois s'était-il endormi les poings crispés, tordus dans ses couvertures, le coeur plein de haine envers la vie? Pourquoi ses parents étaient-ils morts si tôt? Pourquoi avoir choisi d'épouser une femme comme Louise? Pourquoi ne pas être venu en ville dix ans auparavant? Pourquoi tant de gens à gros salaires et à consommation indécente avec nombre de chômeurs à côté? S'endormirait-il encore ce soir-là dans l'angoisse, la souffrance, les sanglots?

Toutes ces questions se heurtaient en son cerveau: terribles, implacables, incessantes. Mais il y en avait de pires encore: celles qui le concernaient lui. Médiocre dans ses études, comment était-il parvenu à décrocher un brevet d'enseignement? Pourquoi personne ne lui avait jamais confié la moindre responsabilité autre que celle de donner des cours? Dans les conseils d'école, à la tête des groupements scolaires ou paroissiaux, membre exécutif de quelque chose, de la plus petite organisation: pourquoi les autres et jamais lui? Avait-il assez essayé? Ou bien avait-il une face qui ne revenait pas aux autres? Il n'était pas le seul au monde, après tout, à être carrément laid.

Il s'arrêta à sa laideur et ça le fit sourire. Son cerveau avait vagabondé dans le noir et c'est une pensée sombre qui venait de le faire émerger.

À l'écran, c'était un de ces nombreux reportages sur le débat de la veille. L'on présenta successivement les deux premiers ministres au faîte de leur performance, au maximum de leur dénonciation de la thèse de l'autre. Grimaçants.

Wilson fouilla machinalement dans sa poche, sortit son carnet de banque et lut: trois cent dix dollars.

Il jeta le livret sur sa veste au pied du divan et dans un geste brusque s'allongea sur le dos, les bras croisés sous la tête.

Il regarda au plafond puis il ferma les yeux.

•

Westmount, le même soir

Dans sa robe de chambre en pure soie rouge, le colonel se livrait à sa méditation transcendantale. Il était planté bien droit dans son fauteuil de cuir noir, les bras sur les bras, les pieds bien à plat au plancher, calés dans l'épais tapis rouge.

Les reflets d'un feu de foyer et de l'écran du téléviseur venaient bigarrer son visage de nuances bizarres.

Lorsque le speaker de la télé annonça le début des nouvelles de vingt-trois heures, l'homme ouvrit les yeux et de façon si imprévisible et sèche qu'on eût dit un vampire qui s'éveille.

Il bougea très légèrement la tête, mais garda la nuque raide. Ce sont les yeux qui se rendirent chercher l'image du téléviseur.

La première nouvelle touchait le match des premiers ministres. Un journaliste du *Montreal Daily News* fit ressortir que le fédéralisme avait knockouté la souveraineté. Le colonel ferma et rouvrit lentement les yeux, soulignant la futilité des propos de son éditorialiste.

Puis ce fut le bilan des manifestations de travailleurs à travers le monde. Il s'en servit pour nourrir ses souvenirs de guerre. Il se souvint de ce grand pâté de maisons, presqu'un quartier au complet, en flammes. C'était à Berlin, à la toute fin. Et il se rappela de ces îlots de résistance qu'il avait fallu nettoyer au lance-flammes. Et de cet officier qui hurlait avant chaque opéraiton: faites sortir la vermine.

Osborne tourna la tête vers le foyer. Il trouva le feu à son plus beau, y plongea des yeux pleins d'étincelles.

À plusieurs reprises, son souvenir le transporta à la dernière mission de la septième escadrille, mais quelque chose au fond de lui-même l'empêchait de s'y accrocher. Le souvenir insista et le colonel finit par lui céder.

Leur objectif: une usine de produits chimiques à Oldenbourg. Les soutes étaient remplies de bombes incendiaires. Les trois premiers bombardiers n'avaient eu aucun mal à faire mouche et l'usine ressemblait à un fleuve de feu. Les autres avions tournaient en rond au-dessus de l'objectif dans l'attente des ordres d'Osborne.

Le jeune chef observait l'évolution de l'incendie. Ce qu'il avait prévu se produisait: le feu s'alimentait de lui-même, puisant son combustible aux produits chimiques. Toutes les trente secondes, une explosion venait ajouter son grandiose à l'immense nappe rougeoyante.

Osborne avait ordonné la rentrée. Les appareils s'alignèrent dans leur formation en V et mirent le cap sur le nord.

Un chef d'escadrille qui eût regagné sa base avec des bombes à bord de ses avions aurait été la risée de toute la R.A.F. Parce que des objectifs secondaires, ça se trouve facilement en territoire ennemi : ponts, chemins de fer, gares, routes, usines. Parce que des bombes sont un énorme élément de risque en cours de vol puisqu'un simple projectile autrement plutôt inoffensif suffit à faire sauter un bombardier aux soutes paquetées. Parce qu'un accident à l'atterrissage peut détruire toute une formation d'appareils parkés sur les pistes.

Mais Oldenbourg est proche de la mer. Il faut déverser les bombes. Ne pas risquer de traverser les lignes de la D.C.A. assis sur des volcans. Ne pas gaspiller les munitions dans des champs déserts ou dans la mer. Osborne consulte sa carte. Un crochet et ce sera Bremerhaven, avant-port de Brême. Le feu de la D.C.A. y est le plus puissant de toutes les lignes de défense allemandes : d'autres y ont goûté. Il faudrait être fou pour y aller. Mais à l'est, à une douzaine de kilomètres, il y a cette petite ville isolée, sans objectifs militaires donc pas défendue et qui pourrait devenir un témoignage de la folie hitlérienne. Il suffit pour l'atteindre de contourner Wesermünde par le sud.

— Objectif Radden, dit Osborne dans son émetteur radio.

Les lumières ont beau être éteintes, une ville, ça ne se camoufle pas si facilement. Surtout quand la lune est là. L'horizon s'humanise, se dentèle de formes construites. Une première bombe servira de torche d'éclairage. Il faut descendre, perdre de l'altitude pour mieux frapper. Pour mieux voir aussi. L'appareil d'Osborne a largué sa cargaison à Oldenbourg ; son pilote pourra donc goûter chaque seconde du spectacle.

L'ordre est donné. Le premier bombardier pique, descend de quelques centaines de mètres et vomit son chapelet meurtrier. En bas, c'est un boulevard de feu. Le second va tracer sa ligne un kilomètre plus loin. Un troisième va couper dans l'autre sens au nord. Un quatrième va au sud fermer le piège mortel. Les autres quadrillent scientifiquement le rectangle.

En bas, c'est le feu. Et dans le feu, il y a dix mille personnes. D'en haut, on ne les voit pas : la flamme les couvre. On n'entend pas leurs cris de terreur : les vrombissements des moteurs les enterrent.

Lorsque les supérieurs de la R.A.F. avaient appris le choix de Radden comme deuxième objectif, ils avaient demandé des comptes à Osborne.

— Pour que des millions d'Allemands voient les conséquences de leur guerre. Et pour que Radden pèse sur leur conscience et sur celle de leurs dirigeants, avait-il répondu.

Quelques jours plus tard, il s'était vu retirer son commandement. Il avait cru au prétexte qu'on lui avait servi : les Américains.

Emporté par ses souvenirs, le colonel n'avait pas vu passer les minutes. À l'écran, c'était maintenant un journaliste qui donnait son opinion sur le choix des dates choisies pour les tours de scrutin au référendum. Il critiquait particulièrement celle du vingt-six juin, dénonçant sa proximité d'avec la fête nationale des Canadiens français.

Soudain, le colonel crispa les doigts, fronça les sourcils. À plusieurs reprises, il regarda alternativement l'image du téléviseur et le feu de l'âtre. Un rictus inquiétant convulsa ses lèvres. Celle d'en bas se mit à tressaillir spasmodiquement...

•

Montréal, le 11 mai

L'assemblée de cuisine avait pris fin très tôt. En fait, il n'y avait eu que l'oncle et la tante de Linda à la réunion qui s'était tenue chez eux. Même les cousines s'étaient défilées sous divers prétextes.

Mélanie se sentait déprimée.

La serveuse venait de déposer les assiettes devant Linda et René.

— Je n'ai pas faim, soupira Mélanie. Je pense que je vais canceller ma commande.

René fit un grand geste pastoral à mains largement ouvertes et à doigts écartés. Quand le geste fut posé, mais seulement à la toute fin, il chantonna sur un ton onctueux:

— Petite fille capricieuse, il est trop tard. Il fallait y penser plus tôt. La demoiselle ne sera pas du tout contente.

— Bah, peut-être qu'en m'y mettant?...

Linda commença à manger en gloussant. Elle avait ri plus que d'ordinaire depuis le tout début de la soirée. Mélanie avait mis cette exultation sur le compte de leur visite à la parenté de Linda: des gens adorables.

— Tu n'as pas l'air dans ton assiette, fit René, pince-sans-rire.

— Y'a de quoi, soupira Mélanie, avec le succès que connaissent nos assemblées depuis deux semaines.

— Ça devrait te réjouir: c'est signe que les gens ont fait leur choix.

Mélanie leva des yeux chercheurs sur René qui leur répondit:

— Les gens aiment se faire vendre quelque chose: un objet, une idée. Quand ils refusent de rencontrer les vendeurs, c'est que leur idée est faite.

— Autrement dit, on devrait lâcher. Ça ne sert à rien de continuer?

— Ah, je n'ai pas dit ça, fit René les mains levées au ciel. Avoir une idée de faite, c'est pas la même chose qu'être sûr de son idée. Y'en a un paquet qui peuvent sauter la clôture à la dernière minute juste parce qu'ils sentent que c'est plus fort de l'autre bord. Donc faut donner jusqu'à la fin l'image d'une équipe solide et travailleuse. Les gens ont peur des lâcheurs...

Mélanie écoutait avec dévotion et ne put s'empêcher de dire avec un sourire admiratif:

— Tu me fais penser à un vieux renard. Où pêches-tu donc toutes tes idées?

— Par-ci, par-là. Mon père était un vieux routier de l'Union nationale.

— Était?

— Il est devenu péquiste... Comme tout le monde. C'était mieux pour lui: on ne l'aurait pas gardé à la maison autrement.

Les jeunes filles pouffèrent, Il poursuivit:

— Farces à part, le père, il est pas mal clairvoyant. Quand il fait des pronostics, il ne mêle pas ses désirs avec la réalité. Il soutient que c'est l'option rapatriement-délégation qui va l'emporter au dernier tour avec cinquante-cinq pour cent du vote.

La serveuse vint déposer une assiette de lasagnes devant Mélanie. La jeune fille y jeta les yeux et quelques brins de poivre rouge. Puis elle fit une moue de résignation satisfaite avant d'empoigner sa fourchette.

Le geste angélique et la voix sereine, René continuait:

— Lui va voter pour la souveraineté-association. Il dit que les Québécois sont assez grands pour se conduire tout seuls. Il dit aussi qu'un mariage avec les anglophones est trop raisonnable pour être sain et puis que, comme dans tout mariage, chacun y cherche à absorber l'autre.

— Avec le divorce comme solution, fit Mélanie entre deux bouchées.

— Exactement! Mais un divorce amical, sans chicane, civilisé.

La conversation porta sur la politique pendant tout le temps qu'ils mangèrent, avec une brève interruption lorsque René s'était absenté pour téléphoner.

Linda, qui s'était contentée de fredonner et d'écouter, repoussa son assiette et se croisa les doigts. Elle jeta un regard malin à ses deux amis avant de leur dire:

— Moi, j'ai une grande nouvelle à vous annoncer. J'ai attendu d'être en présence de mes deux meilleurs amis pour la dire.

— Ç'a l'air le fun. Raconte, fit Mélanie.

— Devinez.

— Je sais. Tu as fini par mettre la patte sur l'emploi que tu avais demandé à Ste-Thérèse. D'après mes déductions, y'a rien d'autre pour te faire jubiler comme tu le fais depuis le début de la soirée, dit René.

— Non.

— Alors c'est ton père qui va t'acheter la petite auto usagée de votre voisin.

— Non.

Mélanie secoua la tête en disant:

— On donne notre langue au chat. Ou bien tu nous donnes de meilleurs indices.

— René brûlait avec l'auto: c'est une histoire de cadeau.

— Toi, tu vas nous faire un cadeau, coupa Mélanie.

— Pas à toi mais à René.

Mélanie eut l'air de réfléchir, se mordit une lèvre et questionna:

— Est-ce que par hasard, il s'agirait d'un cadeau de Noël?

— Hum, hum...

Mélanie fit un léger signe de tête incrédule et inquisiteur.

Linda répondit par un geste semblable mais affirmatif et rieur.

René hochait la tête, regardait successivement l'une et l'autre. Il compléta un geste emphatique où il se désignait la tête de ses mains ouvertes avant de dire:

— Moi pas comprendre.

— Un homme, ça ne comprend pas vite, fit Linda, taquine.

Le jeune homme s'arrêta, pencha la tête, l'enveloppa de ses mains, rétorqua:

— Un homme qui se fait dire qu'il ne comprend pas vite comprend tout de suite... Et je dois dire que ça me fait peur... Au fond, non... Pourquoi la peur?... Tu l'as su aujourd'hui?

— Le médecin m'a téléphoné cet après-midi.

— Te retrouver avec un bébé à vingt ans, ça ne te fait pas peur plus que ça?

Le ton qu'avait pris Mélanie pour poser sa question donnait l'impression que c'est elle qui était tombée enceinte.

René soupirait profondément sans dire un mot, sans un geste non plus, comme si la terre venait de s'arrêter. Il écouta celle qui en trente secondes avait cessé d'être l'adolescente remplie d'insouciance pour devenir une adulte au sourire déjà maternel.

— Pourquoi la peur, comme disait René. Mes parents m'ont toujours dit que si c'était mon choix d'avoir un enfant, ils me donneraient toute l'aide qu'ils pourraient. Ma mère a été ligaturée trop jeune parce qu'un médecin l'avait fait paniquer au sujet de la pilule et d'une histoire de mal de jambe. Ça fait sept ans de ça. Quand je lui ai annoncé la nouvelle aujourd'hui, je pense qu'elle était plus contente que moi.

— Mais un enfant, c'est une corde au cou...

— Voyons donc, Mélanie. Toi, tu as la phobie des attaches. Pour moi, il y a eu des esclaves parmi tes ancêtres.

— Le mot liberté ne peut pas être chanté sur la même note par tout le monde.

— C'est exactement ça! Pour moi, un enfant, ce sera... comment dire? Comme de l'air frais, comme une joyeuse poésie remplie chaque jour de nouveauté, d'imprévu...

René sortit de sa léthargie pour s'exclamer:

— Jamais Linda Lévesque n'a dit de paroles semblables. Qui es-tu, toi?

— Je suis Linda Lévesque enceinte. La future mère de ton enfant.

— N'en déplaise à ta mère, je pense qu'on devra l'élever ensemble.

René toucha le ventre de la jeune femme et poursuivit:

— Le mieux à faire, ce serait à lui de nous le dire, hein... Mais comme il ne peut choisir, on va décider pour lui. Bon. Mais pour être honnêtes, faut se mettre un petit peu à sa place. Si j'étais lui, est-ce que je voudrais être élevé par un gars comme moi? Linda comme mère, toi, oui, ça va. D'une façon ou de l'autre, il ne peut se défaire de toi. Mais moi...

Il se mit à rire nerveusement:

Je vais essayer. Puis le plus que ta mère le pourra, on va lui faire garder. Comme ça, le fiston va avoir toutes les chances de son bord. Qu'est-ce que tu en dis?

Le visage de Linda éclatait de bonheur. Mélanie soupirait d'inquiétude. Elle ne remarqua point les regards de ses amis se porter au-dessus d'elle, vers la porte d'entrée.

C'est un parfum familier qui la sortit de son air de réflexion profonde. Une vibration indéfinissable envahit son coeur. Elle releva la tête et juste au moment où elle commençait à lire dans les yeux de ses amis la réponse à ce fol espoir qu'avait fait naître en son âme le sentiment et l'odeur d'une présence derrière elle, une voix veloutée glissa à son oreille:

— Je peux m'asseoir auprès de vous, gente damoiselle?

Mélanie tourna vivement la tête. Et alors toute son âme, toute sa passion se résumèrent en un seul mot, un cri total issu de toutes ses cellules:

— Jean.

— Comment vas-tu? Je te croyais morte.

— Je l'étais... Je veux dire... Viens t'asseoir.

— J'allais te le redemander.

Pendant qu'elle se poussait et qu'il s'asseyait, elle demanda:

— Tu veux me dire par quel hasard?

Il n'eut pas le temps de répondre qu'elle avait compris:

— René Léger, c'était ça, ton appel téléphonique important de tantôt?

René fit un grand geste angélique et s'en défendit:

— Je ne suis pas coupable. J'ai agi sur les ordres de Guy.

— Ah, le maudit Simard! Mais tu as fait ta part...

— Un beau complot, hein? Tu n'es pas contente du résultat? demanda Jean.

— C'est pas ça. C'est qu'on me joue dans le dos.

— Qui a dit que l'enfer, c'est les autres?

La conversation retomba sur l'état de Linda dont l'attitude positive fit l'admiration de Jean. Puis René suggéra:

— Je pense qu'on va vous laisser parce que Linda et moi, on va aller fêter notre nouvelle multiplication. Et on va fêter ça de la meilleure manière qui soit. Et puis vous autres, comme on dit, vous devez avoir des tas de choses à vous raconter... depuis le temps...

Il exprima sa certitude par un demi-clin d'oeil et un signe de tête.

L'on se salua. L'on se sépara.

Mélanie et Jean jasèrent un peu puis quittèrent les lieux à leur tour. Il proposa un petit tour du côté de St-Sauveur avant de rentrer. Elle accepta.

Au gré des milles, elle se sentit émue, heureuse, fofolle. Faconde intarissable, modulations inhabituelles dans la voix, rire facile, toussotements nerveux: elle se comportait comme une enfant ravie et trouvait mille prétextes à exulter.

Il conduisit jusqu'au chalet de son père. Ils firent quelques pas dans la nuit, s'arrêtèrent au lieu de leur premier et si furtif baiser de l'hiver précédent.

L'éternelle magie de la splendeur d'un ciel étoilé produisit ses effets dans l'âme déjà à moitié ivre de la jeune fille. Elle lui prit la main sans le regarder et murmura:

— Jean, je suis heureuse d'être avec toi.

— Et moi donc! Je savais qu'un jour, on se retrouverait. C'était inscrit là-haut, dans les étoiles.

— Nous avons été fous de nous laisser, de tant souffrir...

— Ces mots-là sont un «je t'aime», n'est-ce pas, Mélanie?

Elle serra fortement sa main sans répondre.

— Petite folle, qu'est-ce que tu attends pour te jeter dans mes bras et me dire que tu m'aimes?

Elle serra à nouveau sa main mais ne bougea pas.

— Prendre l'autre dans ses bras, est-ce une affaire d'hommes seulement, en pleine fin de vingtième siècle?

Pour la troisième fois, elle serra sa main. Beaucoup plus longuement que les fois précédentes, cherchant à lui communiquer les sublimes vibrations auxquelles elle s'abandonnait enfin.

Il ne restait plus maintenant entre eux que la barrière du désir qui cherche à se gorger pour être à la mesure du moment d'éternité qu'ils sentaient venir les prendre et les transporter dans la troisième dimension de l'âme humaine: celle de l'amour.

Elle se tourna vers lui, tendit ses mains. Il tendit les siennes. Leurs doigts s'entremêlèrent, s'unirent. La lune glissait doucement le long des arbres, s'insinuait dans l'émotion de leurs sourires.

Ils se rapprochèrent un peu. Lui se devait d'attendre. Et c'était divin comme ça. Il y avait tant d'harmonie sur ce visage adorable: pourquoi ne pas rester là, éternellement, à le contempler, à s'y désaltérer?

Leurs regards se donnèrent de tendres baisers, cueillirent mystère et rêve dans les yeux de l'autre.

— Tu es une fleur-étoile, murmura-t-il en tremblant.

Elle hocha la tête tout doucement, d'un mouvement à peine perceptible. Puis ses yeux chargés se mirent à scintiller en s'habillant de larmes. Alors jaillirent d'elle ces mots brûlants enfin délivrés, laissés libres, à la recherche de liens fabuleux:

— Je t'aime, je t'aime, je t'aime.

Désir et liberté prirent le même envol. Vaincus par l'amour, ils se jetèrent dans les bras l'un de l'autre.

— Mon amour, écrase-moi sur ton corps.

Leurs lèvres se joignirent dans un baiser suave, imprégné d'une totale tendresse. Baiser libérateur. Attachant.

Puis il recula la tête, sortit sa langue et se rendit recueillir les deux petites perles restées accrochées sous les yeux de Mélanie.

Elle scella ses paupières et dit en frémissant :

— Je sais que tu ne me demanderas pas pour faire l'amour à cause de ce qui s'est passé entre nous ; mais moi, je vais te le demander. Pas ce soir. Ni demain. Si je suis prête pour l'amour, je ne le suis pas encore pour les enfants. Alors si tu le veux, si tu le désires, nous allons faire un nouveau pacte et ce sera celui de l'amour. De la réconciliation et de l'amour. Que dirais-tu du vingt-quatre juin pour la fusion totale ? Le temps de m'arranger pour avoir la pilule et de la prendre un bon mois ?

— Oh oui, Mélanie, oh oui !

Ils s'enlacèrent encore. Jean chuchota :

— Laisserons-nous la politique nous séparer à nouveau ?

Elle fit signe que non dans son cou et répondit :

— Le dernier tour du référendum sera le vingt-six. Et notre fusion à nous sera le vingt-quatre. Alors, tu vois...

— Et d'ici là ?

— Il faut que je fasse deux assemblées de cuisine qui sont déjà organisées. Mais tu n'en auras même pas connaissance. Ça se fera le mercredi soir. Et point final. Mon choix est fait et c'est l'amour... Et c'est toi.

— Ne l'exprime pas comme ça. J'ai le sentiment de te priver de quelque chose. Tâchons simplement de concilier les deux : ce que nous sommes et l'amour que nous avons dans le cœur.

— La vie n'a jamais été aussi merveilleuse à vivre !

•

Longueuil, le 12 mai

La tombe commença à s'enfoncer entre les parois vertes. La veuve voûta davantage son dos. Ce n'était pourtant ni pour pleurer, ni pour prier. Il fallait bien prendre la pose pour les yeux des assistants. Et puis, il fallait montrer aux filles comment ça s'enterre, un mari. Un temps de crachin venait renchérir l'image.

Cet homme qui descendait vers son dernier lit, elle ne le regrettait pas. Il avait pourtant été un bon mari, assez loyal, passablement fidèle, avait rapporté beaucoup d'argent à la maison ces trente années où elle avait vécu à ses côtés. Et puis, ce qu'il laissait en argent, il ne le laissait pas en regrets.

Ils avaient eu quatre enfants. Quatre filles. De vingt-deux à vingt-neuf ans qu'elles avaient déjà. Toutes bien placées. Débrouillardes. Pas chercheuses de drames. Fortes. Comme leur père, cet ancien pilote de la R.A.F. décoré pour son courage non de pilote mais de parachutiste. Elle se rappela qu'il avait eu une médaille aussi comme pilote, mais il s'était agi d'une décoration collective, à tous ceux de son escadrille.

Elle prit son mouchoir et assécha des larmes imaginaires dans chaque oeil. Pendant que le prêtre récitait les dernières prières, elle se demandait comment liquider les avoirs de son mari. « Ah, s'il avait au moins vendu son centre commercial ! » pensait-elle.

Elle était rendue au chapitre des assurances-vie lorsqu'une main la toucha au bras. Absorbée dans sa réflexion, elle ne s'était pas rendu compte que le prêtre et les assistants avaient tourné les talons et s'égrenaient pieusement le long d'une rangée de pierres tombales en direction de la sortie du cimetière.

Ses filles étaient restées auprès d'elle. C'est la plus jeune qui avait touché sa mère au bras. La veuve avait sursauté.

— Pauvre maman, comme elle est perdue! dit l'une des filles à sa soeur.

Une autre main toucha la femme, par derrière cette fois. Elle tourna un peu la tête pour recueillir ces mots navrés:

— Si vous n'y voyez aucune objection, madame Morgan, nous allons rester après vous. Nous voulons rendre un dernier hommage à notre camarade.

— Mais si, colonel, mais si. Je vous comprends. Mes filles et moi, nous partons immédiatement.

— Prenez tout votre temps. Nous ne voulons pas vous envoyer. Nous attendrons.

— Nous partons, colonel Osborne. Et transmettez à tous vos compagnons mes remerciements les plus sincères pour leur témoignage de sympathie à mon égard.

— Madame, votre mari, ce n'était pas qu'un compagnon, c'était un frère pour nous. Et je crois que nous allons le pleurer presqu'autant que vous-même.

La femme pencha le corps en avant, mit son mouchoir sur sa bouche dans un geste d'accès de douleur et balbutia:

— Excusez-moi, colonel.

— Faites donc, ma pauvre madame, faites.

Et la veuve éplorée s'en fut au bras d'une de ses filles, suivie des trois autres. Elle marchait la tête dans son mouchoir.

Les onze pilotes dans leur costume militaire entourèrent le trou. Ils prirent chacun une poignée de terre qu'ils jetèrent sur la tombe. Le petit cérémonial avait duré quelques minutes au cours desquelles deux employés des pompes funèbres étaient arrivés pour faire le ramassage des accessoires.

Ils travaillèrent en riant et en marmonnant.

— Gang de christ d'Anglais de tabarnac, ils ont tout sali le tapis, dit l'un.

— Par chance qu'ils sont comme le boss pis qu'ils ne comprennent pas un christ de mot de français. Espérons que Johnny savait ce qu'il disait; autrement on se ferait crisser dehors demain matin.

— Laisse faire que si le Québec se sépare, ils vont le prendre leur hostie de trou. Les calvaire de chiens, ils vont l'apprendre le français.

— Peuh! Ils sont assez maudite gang de racistes qu'ils vont tous sacrer leur camp dans l'Ontario.

— Ça va être rien qu'un bon débarras.

— Penses-tu que c'est le mort qui commence à sentir ou ben si c'est eux autres qui puent?

— Non, mais leur as-tu vu le costume? Des vrais épouvantails à nazis.

L'autre pouffa:

— Ils ont dû faire peur à Hitler une affaire effrayante accoutrés comme ça.

Les deux hommes finirent de plier le tapis, roulèrent les bandes, rangèrent les rouleaux métalliques, mirent le tout dans un long coffret noir et quittèrent les lieux.

Les pilotes avaient attendu sans lever les yeux, chacun ressassant de lointains souvenirs. Quand ils furent à nouveau seuls, le colonel prit la parole:

— Mes amis, notre camarade William Morgan

nous a quittés avant notre dernière mission. Pourtant, s'il en fut un parmi nous qui avait le sens du devoir, c'était bien lui. Il savait que notre équipe devait renaître non seulement par le souvenir mais dans l'action. Mais il est parti quand même. Que faut-il comprendre dans ça? Et bien, c'est que nous approchons du pied de la montagne. C'est que maintenant, le temps est plus fort que nous. C'est que nous devons rassembler ce qu'il nous reste de forces vives, les mettre en commun et accomplir ce pour quoi un grand destin nous a réunis.

Mes amis, il y a des signes qui ne trompent pas. En voici quelques-uns. Pourquoi donc nous sommes-nous retrouvés ensemble en 1944, avec, dans l'esprit de chacun, une idée commune: abattre l'ennemi et survivre? Pourquoi, sinon parce que le destin nous guidait, n'avons-nous pas été pour la plupart descendus lors de nos vols au-dessus de l'Allemagne? Pourquoi cette production cinématographique qui nous a fait nous retrouver après la guerre? Et alors, quelle sorte d'instinct nous a poussés à nous donner rendez-vous chaque année ainsi qu'à la mort d'un de nos membres? Et comment expliquer cette étrange fidélité qui a fait que nous sommes encore tous là, sauf nos morts bien entendu? Et puis, ces moyens financiers qui nous sont échus? Et maintenant William qui nous quitte avant son temps. Mais peut-être était-ce son temps justement. Peut-être qu'à la dernière mission, au fond, il y aura participé à sa manière, le rusé de Bill. Peut-être que c'est sa mort qui va nous donner le courage de foncer, car ce qui nous attend ne sera pas facile. Nous avons une guerre non officiellement déclarée à gagner, des générations futures à protéger, un pays à sauver et pour tout ça, nous ne sommes plus que onze. Et ce ne sont plus des mois qu'il nous reste, mais des semaines et même des jours.

Mes amis, il y a une solution. Il y a une façon d'atteindre à la fois tous nos objectifs et de libérer le Canada pour cent ans de la folie indépendantiste et socialiste, en plus de faire comprendre définitivement aux Canadiens français que la liberté et la paix valent plus cher que tout.

Et cette solution, c'est la stratégie de Radden.

Pas un ne broncha, mais tous les yeux bougèrent.

— Je tenais à ce que nous soyons tous là, y compris Bill pour vous dire cela. Mais je ne vous en dévoilerai pas davantage ici. Nous allons retourner à notre quartier-général et je vais vous exposer tous les détails du plan.

Avant de partir, saluons une dernière fois notre camarade Bill Morgan c'est lui qui sera notre guide pour notre ultime mission.

Le colonel se donna la main droite avec la gauche et dit à voix retenue:

— Alle für einen!

Les pilotes firent de même.

Une heure plus tard, ils formaient table ronde chez Osborne. Il y avait une place laissée vide. Le colonel avait voulu que l'ombre de Bill Morgan rôdât dans la pièce.

— Mes amis, nous avons discuté de notre stratégie lors des précédentes réunions et nous n'avons trouvé aucune solution au problème de l'objectif. Faire sauter un pont ou un gratte-ciel ou le stade olympique est impensable. Il faudrait trop d'explosifs et nous serions repérés au début même de l'opération. Et même en cas de succès, sur le plan politique, ça pourrait nuire au lieu d'aider. Attaquer des objectifs plus petits? À onze? Il nous faudrait nous y mettre jour et nuit et nous ne pouvons pas mettre nos affaires de côté sans risquer, là aussi, d'être découverts. Et nous ne ferions que des dégâts mineurs. Et il pourrait y avoir riposte contre les anglophones. Résultats politiques? Probablement négatifs.

Mais vous vous souvenez de Radden? Voilà ce que nous allons faire. D'accord, nous n'avons ni bombes ni bombardiers et ce n'est pas avec cinq millions de dollars que nous allons nous rebâtir une escadrille. Mais attendez et vous verrez.

Il déploya une carte qu'il plaça au milieu de la table et dit:

— Nous allons frapper là et une seule fois. Une mission qui durera en tout et pour tout trois heures. L'endroit: le Centre de la Nature à Laval. La date: le vingt-quatre juin. L'objectif: 250,000 Canadiens français réunis pour faire la fête. Les munitions: le feu par l'essence. Le mode de transport des munitions: des avions-citernes. Les pilotes: nous.

Regards sur l'organisation. Avec l'argent dont nous disposons, je peux m'arranger par personnes interposées pour faire la location des avions, réserver une piste, acheter l'essence.

Regards sur l'endroit. Le Centre de la Nature est une véritable souricière. Bords escarpés impossibles à escalader. Quelques escaliers en bois qui prendront vite feu. Un premier avion arrose à l'entrée. Au premier feu de cigarette, c'est l'incendie. Les gens refoulent vers l'autre bout, mais déjà un deuxième avion largue sa cargaison. Et c'est le piège. Les rats sont pris entre deux murs de feu et deux murs de pierre. Les sept autres appareils ratissent le centre, déversent leur contenu. Le reste, c'est l'affaire du feu qui va se nourrir lui-même comme pour l'usine d'Oldenbourg.

Regard sur la date. Ils ont voulu adopter la stratégie de la bascule des votes: l'étapisme. Ça veut dire que tout va se jouer au dernier tour qui est prévu pour le vingt-six. Bien sûr, si au premier tour, le fédéralisme recueillait soixante-quinze pour cent des votes, nous pourrions surseoir à l'exécution de notre projet. Mais selon les sondages des journaux francophones et selon ceux que nous avons faits nous-mêmes mais que nous ne publions pas, il appert que tout va se jouer au dernier tour. Et d'après toutes les extrapolations, c'est l'option rapatriement-délégation qui va l'emporter avec environ cinquante-cinq pour cent des votes au dernier tour. Or, toute personne le moindrement intelligente sait que cette option n'est rien d'autre que le chemin indirect et hypocrite de la souveraineté. Donc la date de notre mission, ce n'est pas nous qui l'avons choisie, mais les Canadiens français eux-mêmes: autre signe du destin.

Regard sur l'objectif. Pourquoi des êtres humains? La vie des gens, c'est la seule valeur de négociation sûre de nos jours. Les terroristes intelligents ont compris cela, eux. Les militaires soviétiques et américains aussi et c'est le pourquoi de la course aux armements. Les gens n'ont pas encore apprivoisé la mort: ils en ont donc peur. Et c'est pourquoi la mort des autres leur paraît à la fois si terrible quand elle leur fait penser à ce qu'aurait pu être ou sera la leur et si réconfortante quand elle leur fait comprendre qu'eux en sont des rescapés. Pourquoi pas des objectifs matériels? Valeur insuffisante. Et puis après tout, les humains ne sont rien d'autre que des petites usines à excréments de la sorte la plus facilement remplaçable qui soit. Nous allons empêcher 250 000 d'entre eux de vivre, mais par le fait même permettre à 250 000 autres, des neufs ceux-là et peut-être de meilleure race, de naître. Dernier point à soulever par rapport à l'objectif: c'est le seul qui soit tout désigné par premièrement sa nature même en raison de l'impact que sa destruction aura; deuxièmement, la date qu'il impose; troisièmement, les moyens dont nous disposons y compris le temps pour l'atteindre et le détruire; quatrièmement, les risques à peu près nuls qu'il signifie car, selon ce que je pense, aucune enquête ne pourra jamais nous faire découvrir par la suite: j'ai tout prévu dans ce sens, qu'il s'agisse de la destruction de nos dossiers à la R.A.F. ou bien de l'intervention de tiers dans l'opération. Quant à ceux qui nous financent, nous dénoncer les mettrait dans le bain autant que nous.

Voilà, messieurs. Rien n'a été laissé au hasard. Si l'un d'entre vous, si un seul s'objecte, alors nous ne ferons pas le raid. Mais celui-là devra se souvenir le reste de sa vie qu'il a résisté à l'appel du destin; mais il devra se rappeler qu'il aura décidé du sort d'un grand pays et risqué la liberté de millions d'hommes. C'est une responsabilité que je ne voudrais pas prendre; mais sachez que je respecterai la décision de celui qui la prendra.

Le temps des discours se termine là-dessus; il faut maintenant passer à l'action.

Après son exposé fait sur un ton lent et pathétique, le colonel baissa les yeux et se rassit comme si pour la première fois de sa vie il se sentait pris d'une grande lassitude.

Ses hommes se levèrent un à un, à de longs intervalles les uns des autres. Leur chef ne les regarda qu'au moment où il eut conscience que tous étaient debout.

Chacun d'entre eux se donnait la main droite avec la gauche.

Osborne arrondit minutieusement les extrémités de sa moustache.

•

À Montréal, ce jour-là...

Le président du comité des fêtes du Patrimoine décrocha et dit:

— Comité de la fête nationale, bonjour.

...

— Tiens, bonjour Claude! Comment vas-tu?

...

— Tant mieux! Dis donc, vous êtes en train de gagner votre référendum?

...

— Tout l'argent est distribué. Il y aura fête dans les quarante villes.

...

— Ne vous inquiétez pas: ce sera un véritable feu de joie à la grandeur du Québec...

•

... le 13 mai

Wilson entra au bureau du centre de main-d'oeuvre pour professionnels. Il ne vit personne, hésita quelques secondes, puis se rendit s'asseoir.

Alors seulement, il détailla ces lieux où ce n'était pourtant pas sa première visite. Mais il n'avait rien remarqué la première fois. La nervosité l'avait vite conduit auprès d'une réceptionniste qui l'avait conduit à un bureau du fond de la pièce où il s'était senti traité de haut, lui, le chômeur diplômé. Pourtant, cela avait donné des résultats puisqu'on l'avait rappelé neuf mois plus tard et convoqué à cette rencontre. Au téléphone, on lui avait demandé de venir afin de lui faire connaître un éventuel employeur, un anglophone unilingue qui s'était intéressé à sa candidature et souhaitait le voir au centre de main-d'oeuvre.

L'endroit était parfait pour des présentations et même pour une conversation. Lumière tamisée, moquette sombre et moelleuse, fauteuils rembourrés, couleurs chatoyantes.

« C'est vrai que des professionnels, même en chômage, doivent être mieux traités que du monde ordinaire, » réfléchit-il.

Puis des questions surgirent en son esprit. Que lui voulait cet employeur en plein mois de mai? Pourquoi lui avoir donné rendez-vous au centre de main-d'oeuvre plutôt qu'au lieu de son travail, à sa place d'affaires? S'agirait-il d'un de ces profiteurs désireux de lui faire faire fortune moyennant un léger investissement?

La réceptionniste, de retour du bureau de fond de la pièce, lui demanda :

— Vous êtes monsieur Wilson ?

— Oui.

— La personne que vous attendez et qui s'appelle aussi monsieur Wilson sera ici à onze heures et trente. L'on vous avait prévenu qu'il ne parle que l'anglais ?

— Oui.

— Des problèmes ? Non.

— Aucun. En bon Québécois francophone, je me débrouille en anglais...

La femme sourit, reprit sa place à son bureau et poursuivit la lecture d'un gros roman.

Wilson se renfrogna dans ses souvenirs amers, se terra dans son inquiétante solitude.

Il en était à ce point où le malheur appelle autant qu'il repousse, au règne des obsessions cruelles et invitantes, au temps du masochisme né de l'usure de la douleur.

Il y avait des variantes au scénario de sa détresse, mais la phase ultime demeurait la même : cette image maudite de Louise dans les bras de l'autre. Souillure affreuse, totale. Elle avait bien fait de s'en aller. Mieux valait vivre seul que de chercher à s'habituer à respirer le même air que cette tricheuse.

Il croquait à si belles dents à travers son angoisse qu'il perdit la notion du temps. Et du lieu. Et du va-et-vient. Un homme entra, parla à la réceptionniste, s'approcha de lui, le fit sortir en un sursaut de sa torpeur.

— Monsieur Wilson ? demanda l'inconnu.

— Oui, fit Wilson.

— Je suis Robert Wilson, dit l'inconnu dans un anglais franc.

— Et moi Régis Wilson.

— Peut-être avons-nous un ancêtre commun? dit l'homme.

— Probable. Mon arrière-arrière-grand-père était anglais.

Le chômeur s'était levé pour serrer la main de l'autre dont les allures n'avaient pas manqué de l'inquiéter. Qu'il fût anglais créait une première barrière. Qu'il gardât ses verres fumés en un lieu aussi sombre ajoutait au malaise des premières minutes. Par contre, qu'il portât le même nom avait quelque chose de rassurant. Bon sang ne peut mentir! Surtout pour un vrai Québécois francophone.

À l'invitation de l'Anglais, ils se rassirent. Les questions se mirent à pleuvoir sur l'ex-professeur qui ne put, lui, qu'interroger du regard entre ses réponses. Il trouva que l'autre pouvait avoir soixante ans, dans ce bout-là.

— Je suis né et j'ai toujours vécu, jusqu'à il y a un an, dans la région de la Beauce...

Même assis, l'homme se tenait droit comme un militaire.

— Vous ne connaissez pas? C'est situé entre la frontière américaine et la ville de Québec.

Comment mentir sous le poids d'un regard aussi écrasant, car le chômeur se doutait bien que derrière les verres fumés, il devait y avoir des yeux pénétrants, inquisiteurs: des juges.

— C'est une région à quatre-vingt-dix-neuf pour cent francophone. « Qu'est-ce que cette tête à la Henri Bourassa peut donc faire dans une peau d'Anglais? » se demanda-t-il.

— Moi, j'ai appris l'anglais à l'école, à la télévision, dans des livres.

« Il doit en mettre du temps pour astiquer cette moustache ! »

— Je suis parti pour des raisons personnelles. Problèmes familiaux... C'est... Disons que... Est-ce nécessaire que je vous en parle ?

« Ce blockhaus d'homme fouillerait-il dans les moindres recoins de sa vie intime avant d'abattre ses cartes ? »

— Un ménage brisé. Triangle. Elle et un autre. Un avocat.

« Tiens, il bouge. Et c'est pour frisotter le bout de sa moustache. »

— Je vis seul depuis presqu'un an. Elle est partie avec mon fils... Quel rapport avec mes compétences professionnelles ?

« Va-t-il finir de me bombarder ainsi de ses questions ? »

— Comme vous dites, je vous trouve un peu mystérieux.

« Évidemment, c'est lui qui va payer donc il a droit de donner les cartes. »

— Politiquement ? Je dois vous avouer que je penche péquiste. Mais je ne suis aucunement raciste. Je n'ai rien contre les Anglais.

« Je suis en train de me mettre les pieds dans les plats. »

— Ah, non, non, non, non, ni contre l'argent non plus. Surtout pas de ce temps-ci !

« C'est vrai qu'il a une tête sympathique, le bonhomme. »

— Se trouver un emploi, ce n'est pas facile par les temps qui courent. Surtout quand on est, comme on dit en français, un chômeur diplômé. J'ai un dossier ça d'épais de demandes chez moi. Les commissions scolaires ne se donnent même plus la peine de répondre non.

« Avec l'estomac dans les talons comme je l'ai, je ne refuserai pas son invitation à dîner. Ça ne doit pas être tous les jours qu'un gros bonnet anglais offre à manger à un petit chômeur canadien-français. »

— Ici même, dans l'édifice, il y a un bon restaurant.

•

— Je vais soulever un peu le voile aujourd'hui, monsieur Wilson. Mais auparavant, j'aimerais que vous nous commandiez une bonne bouteille de vin. Je suis assuré que vous vous connaissez mieux que moi en ce domaine.

L'homme avait parlé avec sollicitude, mais avec le ton de celui qui ordonne.

— Vous savez, l'image que vous me donnez est encore meilleure, plus appropriée pour le travail que j'ai à vous proposer que celle que j'avais moi-même espérée. Mais il y a une qualité morale dont je voudrais vous entretenir et que vous avez, j'espère. En tout cas, qu'il vous faudra avoir. Et c'est la fiabilité, la fidélité...

— J'espère qu'il y...

— Vous devrez obéir exactement aux ordres reçus, avoir bouche cousue quelles que soient les circonstances...

— J'espère qu'il n'y...

— Votre travail durera un mois, mais le cachet

que vous recevrez vous permettra de vivre pendant deux ans et peut-être de lancer votre propre affaire. Vous recevrez...

— J'espère qu'il n'y a rien d'illégal dans...

— Vous recevrez cinquante mille dollars pour votre mois de travail. N'ayez crainte, je ne suis pas de la pègre. Votre travail sera-t-il légal? En tout cas, il ne vous fera risquer aucune peine de prison par exemple si on vous découvrait. Arrivons au fait. Vous savez ce que c'est que de l'espionnage industriel? C'est pas la plus belle chose du monde, j'en conviens. Mais toutes les grandes sociétés s'y livrent L'opération que nous allons réaliser grâce à votre aide permettra à la compagnie à laquelle j'appartiens de sauver des millions de dollars. En conséquence, cinquante mille dollars, ce sera mérité de votre part puisque vous serez le principal pilier de toute l'affaire. Est-ce que j'en ai assez dit pour que vous désiriez que je poursuive ou bien préférez-vous qu'on termine le repas en parlant de la température et en préparant le moment des adieux?

— Parlez, monsieur Wilson. Votre éloquence pourrait convaincre tout le Québec.

— Voici donc. Canadair vient de mettre au point un nouveau type d'avion-citerne. Ma compagnie aussi. Nous n'avons évidemment pas l'intention de copier leur modèle puisque le nôtre est prêt et que, tout comme eux, nous avons déjà une vingtaine d'appareils fabriqués. Le problème auquel nous faisons face, et eux également, c'est la conquête du marché. À cet effet, la lutte entre les fabricants est féroce. Non seulement nous faut-il faire valoir les qualités de notre prototype, mais encore doit-on démontrer les faiblesses du leur. Et pour ça, nous devons le tester nous-mêmes, le soumettre à toutes les épreuves possibles: maniabilité, aptitudes à transporter des liquides très volatiles, capacité de combattre les feux de forêt, comportement de l'appareil en accélération, en décélération, au décollage, et le reste et le reste.

Nous pourrions acheter un appareil par personnes interposées, encore que cela pourrait être fort difficile car ces avions ne se vendent généralement pas à l'unité; mais cela nous coûterait plusieurs millions de dollars. Le revendre après? À qui? Un avion-citerne n'est pas une automobile ou un camion dont on se débarrasse auprès du premier venu par le biais d'une annonce classée. Mais surtout il y a le facteur temps qui joue contre nous...

— Ne pourriez-vous pas faire la location d'un appareil par personnes interposées?

— Vous comprenez vite, mon ami. C'est exactement ce que nous voulons faire. Mais ne pas louer qu'un appareil. Car je le répète, il y a le facteur temps. Il nous faudrait un bon deux semaines pour lui faire subir tous les tests que nous voulons. De plus, avec un seul appareil, nous ne pourrions pas évaluer ses capacités à combattre les incendies de forêt: son principal argument de soutien à la vente. Il nous faut donc faire la location de plusieurs appareils: une dizaine. En trois jours, tous les tests seront passés. L'opération nous aura coûté moins de deux millions de dollars. Nous aurons réalisé un film sur les faibles performances de l'appareil et nous utiliserons ce film auprès de nos éventuels clients brésiliens, péruviens, australiens, européens... Ceux qui achètent au nom des gouvernements se moquent des coûts. Ce qui les intéresse, c'est d'avoir le meilleur. Le nôtre est meilleur et il faut le leur prouver. À vrai dire, il n'est pas meilleur et selon nos sources, il est même inférieur à celui de Canadair. Mais nous devons démontrer qu'il est meilleur et ça pour une bonne raison: c'est que nous le vendons plus cher. Si nous ne prenons pas notre part du marché et vite, nous perdrons au moins vingt millions de dollars. Vous commencez à comprendre maintenant?

— De plus en plus votre problème. Mais de moins en moins le rôle d'un petit professeur canadien-français en chômage dans tout ça.

— Vous serez la personne interposée. Celle qui s'occupera de la location des appareils, de la réservation d'une piste, de l'achat d'essence pour simuler un feu de forêt.

— Pourquoi moi?

— Parce que partout, l'on vous croira.

— L'on croira un petit professeur chômeur? fit l'autre les yeux pleins de doute.

— Oui, parce que vous serez devenu producteur de cinéma. Il s'agira là de votre... couverture professionnelle.

— Mais je n'y connais rien en cinéma!

— Pas nécessaire. Pour être producteur de cinéma, il suffit d'avoir de l'argent et vous en aurez. Et quand on a de l'argent, on est écouté.

— Vous dites que j'aurai de l'argent?

— C'est l'argent qui sera votre instrument de travail.

— Vous ne pensez pas qu'on va demander d'où vient cette soudaine richesse?

— Qui donc? Vos relations d'affaires? Tout ce qui les intéresse, c'est de savoir si vous êtes en mesure de payer, pas de connaître le temps depuis lequel vous avez votre argent. Quant aux gens des banques, eux aussi s'en ficheront éperdument.

— Je disposerai de combien?

— Vous brasserez des millions, mon cher ami. Dès demain, vous déposerez cent mille dollars dans un compte courant avec un nom officiel qui sente le cinéma et que je vous laisse le soin de trouver d'ici là. De plus, je vous donnerai le montant de votre paye soit cinquante mille dollars que vous mettrez où vous voudrez mais auquel vous ne toucherez qu'avec parcimonie d'ici la fin de la mission soit à la dernière semaine de juin. Je vous verrai toutes les quarante-huit heures pour vous donner les instructions nécessaires.

Et voilà: pas de meurtre, pas de vol, rien d'illégal. Ce n'est pas ce qu'il y a de plus beau comme je vous le signalais tout à l'heure, mais chacun de nous ne doit-il pas subir sa part d'injustices dans la vie? N'êtes-vous pas bien placé pour le savoir, monsieur Wilson?

— Drôlement bien! fit l'autre en hochant la tête. Mais pourquoi m'avoir choisi, moi précisément?

— Pour tout ce que vous êtes et qui apparaît à votre curriculum vitae au centre de main-d'oeuvre. J'ai étudié trois cents dossiers et je n'ai retenu que trois noms dont le vôtre. J'ai rencontré les deux autres candidats, mais ces gens-là n'ont pas assez... comment dire... vécu. Donc ils ne sont pas mûrs pour une telle opération.

— Les autres ne peuvent-ils vous dénoncer?

— J'ai pris leur poulx avant de me confier à eux, comme je l'ai fait d'ailleurs avec vous tout à l'heure au centre de main-d'oeuvre. Et j'ai éliminé leur candidature.

— Et si moi je n'acceptais pas?

— Ça voudrait dire que nous sommes les deux plus parfaits imbéciles vivant sur cette planète. Vous de refuser une pareille offre. Moi de m'être trompé à ce point à votre sujet.

— Quelle garantie avez-vous que je ne vous ferai pas faux bond avec l'argent?

— Inutile question car vous en connaissez la réponse. Bien entendu, dans ce genre de transactions, il faut le respect de la parole donnée puisqu'on ne peut passer de contrat écrit. Donc respect à tout prix. Vous comprenez bien: à tout prix.

— C'est le genre de choses à faire peur, monsieur, ça. Quelle garantie avez-vous que dans un an je ne vous dénoncerai pas?

— La même que pour le respect de la parole dont la loi du silence fait d'ailleurs partie.

— Ça ne diminue pas la peur, ce que vous dites là. Qu'est-ce qui me dit qu'après la mission, vous ne m'éliminerez pas simplement?

— Mon pauvre ami, vous écoutez trop la télévision. Vous savez, nous ne mangeons pas de ce pain. Nous ne sommes pas des gens de pègre. Et puis, quel intérêt aurions-nous à vous faire disparaître? Au contraire, si nous vous éliminons, qui dit que vous n'aurez pas déposé quelque part une déclaration? Tandis que vivant, vous n'oserez pas parler, justement pour vous protéger. Parce que votre silence sera votre meilleure assurance-vie... Ceci dit, puisqu'il fallait le faire, parlons donc en businessmen civilisés et non en goujats.

Régis Wilson retrouva son sourire serein. La boucle venait de se boucler. Il venait de comprendre qu'il vivait l'histoire de Job, mais à reculons. Dieu lui avait tout ôté et maintenant, il lui donnait tout. Quelle incroyable revanche sur la vie!

Il vida sa coupe de vin d'une seule lampée et demanda à son vis-à-vis:

— Mais pourquoi votre compagnie, au lieu d'utiliser des méthodes à la James Bond, ne fait-elle pas comme tous ceux qui désirent quelque chose et n'offre-t-elle pas des pots-de-vin aux bonnes personnes?

L'autre sourit d'un seul coin de la bouche et rétorqua:

— Elle l'a fait pendant longtemps, mais ça s'est retourné contre elle et la surveillance est maintenant trop étroite...

•

Ce soir-là, Régis Wilson se coucha tôt, mais il s'endormit tard, exultant trop.

Il s'excusa auprès de Dieu pour l'avoir trop souvent maudit depuis un an et il lui adressa une longue prière de reconnaissance.

•

Le matin du quatorze, il se réveilla à la barre du jour. Avec son habituel goût d'amertume au coeur. Jusqu'au rêve qui s'en mêlait et contribuait à rendre plus cruelle la réalité.

Il rajusta ses pensées, aligna sa mémoire à sa conscience.

« Mais ce n'était pas un rêve ! » se dit-il. « C'est bien vrai que je vais toucher cent cinquante mille dollars aujourd'hui ! » Car le rendez-vous avait été fixé pour midi sur le parvis de l'Oratoire St-Joseph.

Régis Wilson s'y présenta quinze minutes avant l'heure prévue. En attendant, il marcha de long en large, luttant contre une pensée qui n'avait pas cessé de le harceler depuis le matin. N'était-il pas victime de fabulation? La souffrance et la solitude avaient-elles fini par avoir raison de sa raison? L'autre Wilson n'était-il pas l'image de ce qu'il aurait voulu être : un homme d'affaires fort et froid en même temps que riche et leader? Oui, c'était cela: du dédoublement de personnalité. C'est pour ça que l'autre s'appelait Wilson aussi. Il n'était que le fruit d'une imagination trop fertile.

Pourtant, il était bien là, la veille, à ce centre de main-d'oeuvre et à ce restaurant. Aucune imagination ne peut créer les choses de toutes pièces et avec autant de netteté. Aucune mémoire ne peut graver d'une manière aussi incisive des visages de rêve. Malgré qu'au cinéma, ce genre de choses soit fréquent...

Et ce nom de maison de production sur lequel il avait cogité une partie de la soirée? Et qu'il avait d'ailleurs fini par trouver : Productions Alouette. S'il fallait que son esprit commence à sombrer dans la folie, autant le suicide.

Des mots francs bien que retenus mais en anglais vinrent régler son dilemme :

— Monsieur Wilson, bonjour. Je suis heureux de constater que vous êtes là, ce qui signifie que vous avez accepté mon offre.

Wilson tressaillit et esquissa le geste de se retourner, mais il dut s'arrêter sur les ordres de l'autre :

— Ne me regardez pas, s'il vous plaît. Moins vous verrez mon visage, mieux ce sera pour nous deux. Vous vous demandez peut-être d'où je sors ainsi, n'est-ce pas? J'étais allé faire une prière dans ce magnifique temple, ce grand témoin de l'histoire des Canadiens français. Vous savez, je suis catholique moi aussi. Je ne pratique pas tellement... tout comme vous, je présume. Mais je crois en Dieu et il m'arrive de prier.

L'homme resta silencieux pendant quelques secondes puis il reprit la parole:

— Montréal est une belle et grande ville, n'est-ce pas? C'est une ville cosmopolite où se côtoient dans la paix bien des peuples. C'est une ville à l'image de notre pays: grande, ouverte. Mais, malheureusement, malade. Eh oui: gangrenée... Dommage! Vous avez trouvé un nom pour votre maison de production?

— En effet! Il s'ag...

— Très bien, coupa l'autre. Alors écoutez bien mes instructions. Dès aujourd'hui, vous déposerez dans une banque de votre choix du centre-ville les cent mille dollars que je vous apporte. Au nom évidemment de votre maison de production. Ensuite, vous louerez un bureau. Prenez-le grand et cher. Faites-le équiper et vite. Engagez une secrétaire. Achetez des livres de comptabilité. Faites enregistrer votre nom. Entrez en contact avec des scénaristes et des comédiens. Faites vous connaître dans un temps record dans le milieu artistique. Vous verrez comme c'est facile de se faire connaître quand on a de l'argent. Et surtout, annoncez le tournage prochain d'une production canado-américaine, à fonds américains. Partout l'on vous croira. Il faut dans les journaux de la publicité concernant votre maison. Vous n'aurez qu'à parler aux journalistes du tournage d'un film à gros budget avec vedette américaine et ils vont vous lécher les pieds. Enfin, trouvez un roman ou un scénario dans lequel on parle d'incendies de forêt.

Vous avez quatre jours pour mettre ce plan en marche. Comme je vous l'avais dit, je vous verrai tous les deux jours. Soit ici même, soit au lac des Castors. Je vous apporterai à mesure des instructions supplémentaires.

Nous aurons besoin d'une piste, de neuf avions-citernes, de quatre camions-citernes dont deux remplis d'essence, et deux de mazout, des services de neuf pilotes pour les après-midis du vingt-trois et du vingt-six juin. Je vous dirai à mesure quoi faire à ce sujet. Ne vous préoccupez pas de ces choses pour le moment. Entendu?

L'autre ne répondit pas.

— J'ai dit entendu? demanda durement l'Anglais.

— Entendu! fit Wilson.

— Je vous laisse donc une petite mallette dans laquelle il y a cent cinquante mille dollars. Je la dépose par terre, derrière vous. À vous de jouer. Faites ce qu'il faut faire. Soyez ici à la même heure dans deux jours...

Wilson entendit les pas de l'autre qui s'éloignait. Pour être à la fois discret et prudent, il recula sans se retourner, histoire de mettre seulement l'argent mais pas l'Anglais dans son champ de vision, histoire aussi de croire que c'était vrai, d'avoir la foi.

Quand il eut entendu le bruit d'une lourde porte qui se refermait, il fit demi-tour et regarda l'Oratoire où, vraisemblablement, l'homme s'était engouffré.

Puis il s'accroupit, déposa la mallette à plat et l'entrouvrit précautionneusement. L'argent était bien là, en billets de vingt soigneusement empilés par paquets égaux.

Wilson tourna à nouveau la tête vers l'Oratoire. Puis il rejeta ses yeux sur le contenu de la mallette.

Alors il eut envie de croire aux miracles.

•

Il retourna chez lui, prit une heure pour compter l'argent.

Il tâta chaque billet sensuellement, presque amoureusement. Une vibration indicible bouleversait son âme. Tant de pouvoir entre ses mains ! Le monde lui appartenait et, ô merveille, le monde l'ignorait. Il se dit qu'il devait être le seul homme riche et puissant de ce monde à n'être pas connu sinon par un seul autre homme ayant tout intérêt à taire son identité.

Les questions affluaient à son cerveau, le rendaient flageolant. Où cacherait-il le cinquante mille le temps qu'il irait déposer le cent mille ? Se pourrait-il qu'on s'interroge sur la provenance de cet argent ? Pourrait-on enquêter à son sujet ? Et s'il fallait qu'un voleur s'empare de la mallette.

Le cinquante mille, il devait le cacher, le bien cacher. Pour que personne ne le sache. Louise surtout. Elle se dépêcherait de demander le divorce pour le plumer. Les femmes sont comme ça. Oui, c'est ça : tout resterait caché jusqu'au divorce. Ensuite, il se moquerait d'elle. Il prendrait sa revanche. Qui sait si elle ne devrait pas se mettre à genoux à ses pieds un bon matin? Et pas seulement elle. Avec tout cet argent, il en mettrait des femmes à ses pieds.

Il se lancerait en affaires comme l'avait suggéré l'Anglais. En publicité peut-être. Et qui sait, peut-être en cinéma, se dit-il en souriant.

Il porta son pouce à sa bouche, le mouilla et poursuivit son comptage, l'oeil acide. Quand il eut trouvé très exactement le montant dit, il consulta sa montre. Son front s'habilla de plis soucieux. Il fallait maintenant se mettre à l'oeuvre.

•

St-Donat, le 24 mai

Les flammes s'élançaient vigoureusement à l'assaut du ciel. Chaque soir, il y avait feu de camp en plein centre du terrain de camping autour d'un grosse roche qui servait d'appui à la pyramide de bois truffée de vieux pneus.

Tout semblait originer de ce point central maintenant. Chaleur. Lumière. Vie. Le feu donnait et prenait. Dans un juste équilibre. Prodigue de ses bienfaits mais porteur de ses limites. Aussi terrible que sécuritaire.

Les campeurs s'étaient assis tout autour pour l'aimer, ce brasier sympathique. Mélanie avait appuyé son dos contre la poitrine de Jean. Des lueurs venaient lécher ses cheveux avant de courir à la recherche de vitres de caravanes et de fermetures à glissière de tentes.

Allongé sur le côté, René avait pris comme oreiller les cuisses de Linda. Il avait collé sa tête au ventre de sa compagne, comme s'il avait voulu entendre l'inaudible lui confier un secret depuis le mystère utérin.

Des nuées d'étincelles vrillaient parfois vers la nuit dans une aimable concurrence à la majesté intersidérale. Le feu était l'alpha et l'oméga d'un temps intemporel, le centre de la joie, sa cause et son aboutissement. Fascinant tourbillon auquel l'humanité doit et sacrifiera son existence. Confluent de l'amour et de la haine. Seul vrai dieu des athées. Suprême auteur de l'immémorial et du futural.

La guitare de Manon paraissait énorme en des mains aussi frêles, sur une poitrine aussi fluette. Et à ses côtés, Guy Simard donnait l'air d'un monstre rectiligne sorti tout droit de la préhistoire ou du Loch Ness.

Les notes de l'instrument essaimaient vers la flamme, s'y baignaient avant de revenir abreuver suavement les campeurs. Il y avait plus loin des couples plus âgés, les yeux tiédis, le teint rassis. Et des familles entières à la recherche de miettes de campagne et de rétro. Des filles en rut et en rogne parce que toutes proches de trois petits copains parfaitement satisfaits d'eux-mêmes. Et de l'autre côté, des étrangers eux aussi amis du feu.

— Lorsqu'on est heureux, on devrait mourir...

Une voix pétillante, légèrement cuivrée, couchée sur les notes de guitare se laissa emporter au royaume de la tendresse. Manon chantait la mort sur le ton de la grande espérance.

Ensuite, elle se recroquevilla pour chanter l'amour.

Puis elle sourit pour chanter la vie.

Lorsque la flamme se mit à décliner, quelqu'un sentit le besoin de proposer un pacte. L'homme a peur quand le feu se meurt et il sent le besoin de l'éterniser par des serments.

C'est Mélanie qui parla:

— Nous devrions nous retrouver tous les six au feu de la Saint-Jean au Centre de la Nature le mois prochain. Il y aura un énorme spectacle, Gadbois en tête. Et gratuit en plus...

— Approuvé, fit René en levant le doigt.

Linda sourit en guise d'acquiescement.

Manon composa quelques notes disparates et fredonna:

— Je ne manquerais pas ça pour tout l'or du monde.

Mélanie questionna Guy des yeux. Il fit une moue signifiant: « Et pourquoi pas? »

Elle tourna la tête et son sourire resta figé sur l'air déconfit de Jean.

— Quelque chose ne va pas, mon grand? demanda-t-elle doucement

Il garda les yeux baissés pour répondre:

— Tu as déjà oublié notre entente?

— Tu sais bien que non!

— Dans ce cas, pourquoi ce plan pour le même soir que notre...

Elle se pencha à son oreille et murmura:

— Parce que le feu, ça me réchauffe et ça me rassure.

Il sourit un brin. Elle rajouta dans un chuchotement amoureux:

— Ne t'inquiète pas: un pacte, pour moi, c'est sacré. Et celui du vingt-quatre, je vais le respecter.

Pas par obligation mais parce que je l'aurai voulu et désiré ainsi.

Il hésita quelques secondes puis l'emprisonna dans ses bras pour la ramener à son premier refuge sur sa poitrine chaude.

•

... Sunnyside Avenue

Le colonel avait convoqué les pilotes à une dernière réunion avant la grande mission. Il leur avait exposé tous les détails de ce raid suprême qui viendrait coiffer leur carrière dans exactement un mois.

Les hommes avaient écouté sans poser de questions selon leur habitude. Ils savaient que leur chef ne ferait pas d'erreurs, qu'il aurait tout prévu.

Après l'exposé, ils avaient fait le geste de leur slogan. Par simple formalité cette fois, puisqu'en réalité, le pacte sur la solution finale avait été scellé à la mort de William Morgan.

Ils s'éparpillèrent symboliquement dans la pièce afin de vivre séparément cette traditionnelle période de réflexion qu'ils s'étaient toujours imposée après le dévoilement de chaque mission à la belle époque.

Et cela donna un étrange assemblage de curieux tableaux.

Un pilote, homme à tête de pantin oscillant à droite et à gauche, regardait au-dessus de la bibliothèque une série de photos du colonel en compagnie du cardinal Léger. Les deux hommes avaient travaillé très étroitement pour mener à bien, ce qu'ils avaient réussi d'ailleurs, une des grandes collectes du cardinal au début des années 50.

Un autre, au visage insipide celui-là, avait allumé un cigare et cherchait à comprendre ce qu'était une corne de rhinocéros trônant fièrement au-dessus d'un bar.

Et derrière le bar, un autre homme se préparait un gin tonique.

Les trois colombes s'étaient perchées sur un long divan de cuir noir juste sous une photo de la reine.

Un autre avait aligné sa calvitie dans le même champ de vision qu'une photo prise en plongée du camp de Ravensbruck.

Big Ben s'était presque adossé à une paire de béquilles accrochées au mur, autre trophée d'Osborne témoin celui-là des suites d'un accident d'auto provoqué par un Canadien français soûl au volant.

Biggs pour sa part, s'était retiré dans un coin et livrait sa pensée à l'alchimie des couleurs d'une peinture moderne.

Le géant, l'oeil rempli de lueurs nostalgiques, regardait en souriant la photo de la septième escadrille suspendue au-dessus du foyer. Tout près de lui, le colonel gardait son regard rivé sur la flamme du foyer sous la surveillance d'un couple figé sévèrement sur la pellicule d'une photo posée sur le rebord de la cheminée. La femme: d'une éclatante beauté: des yeux pleins de mystère; un visage austère comme la statue de la liberté. L'homme: le colonel lui-même.

•

Montréal, le 13 juin

Le président du comité des fêtes du Patrimoine avait calé son corps charnu dans son fauteuil et, jambes en l'air appuyées sur son bureau, il répondait au téléphone:

— Sauf pour ce qui est de Montréal, ce sera la plus grosse fête de la Saint-Jean jamais vue au Québec. Quarante villes seront en liesse et vont se réchauffer pour le vingt-six. Dans le cas de Montréal, argent ou pas argent, y'a pas moyen de faire grand-chose à part des fêtes de quartier. Puis ça, ça coûte pas ben cher. Ce qui fait qu'il a fallu augmenter les budgets ailleurs. Y'a un paquet de monde qui ont dû rester surpris d'apprendre qu'ils vont toucher vingt pour cent de plus que leur demande. Pour en revenir à Montréal, j'pense qu'au fond, c'est une bonne affaire que ça soit tranquille cette année. D'abord ces gens-là sont pas mal gagnés d'avance... ou perdus d'avance. J'pense pas que la fête pourrait avoir un gros effet sur eux autres...

...

— Oui Claude, mais c'est pas rien que ça. Ceux de Montréal qui voudront absolument fêter à l'intérieur d'une grosse foule pourront toujours aller à Laval. C'est là que va se passer le gros party de famille des Canadiens français cette année. Tu l'as su par les journaux: spectacle énorme, cinq grosses vedettes y compris Gadbois...

...

— Ah, tu sais, Gadbois, il parle comme ça, mais il ne vit pas ce qu'il prêche. Il se dit communiste et il vit en super-capitaliste. Il crâne pour donner un show. Sais-tu Claude, je voulais te féliciter pour les résultats d'hier. Malgré qu'on s'attendait pas mal à quelque chose du genre! Les fédéralistes avec leur petit 37% doivent comprendre que leur chien est mort. Ça me surprendrait pas que la souveraineté-association passe au deuxième tour.

...

— T'espère que non? C'est vrai que t'es fort sur l'étapisme, toi. C'est vrai aussi que le quatorze pour cent de ceux qui ont opté pour la souveraineté donnera seulement un total de quarante-cinq à la souveraineté-association la semaine prochaine.

...

— Pour ce qui est de Laval, êtes-vous bons pour envoyer un ministre à la fête de la Saint-Jean?

...

— Oui, c'est une bonne idée. Claude est jeune, populaire et surtout fameux dans ses petits discours. Il met le doigt à la bonne place quand il parle. C'est un de vos meilleurs, ce petit gars-là. Y'a juste ses maudits cheveux qui sont déplaisants à voir. J'me demande pourquoi il ne se trouve pas un bon coiffeur?

•

Montréal, le 20 juin

C'était leur quinzième rencontre. Wilson avait du mal à se souvenir du visage de son homonyme de langue anglaise. La troisième fois qu'ils s'étaient approchés, il avait osé se tourner vers l'Anglais, mais ce dernier l'avait vertement rabroué sur un ton tranchant :

— Je ne suis pas homme à répéter deux fois la même chose. Je vous ai dit d'oublier mon visage ; ce n'est pas en me regardant que vous y arriverez. Tournez-vous et contentez-vous d'écouter s'il vous plaît.

Depuis lors, Wilson avait suivi scrupuleusement les ordres reçus. Il y avait eu quelques anicroches dans l'exécution du travail, mais elles avaient été facilement réglées. L'argent avait ouvert toutes les portes, même les plus épaisses.

Ce midi-là, Wilson avait amené son fils avec lui et l'avait fait asseoir sur un banc près du lac des Castors pour que le bambin s'intéresse aux petits bateaux que d'autres garçons s'amusaient à faire flotter sur l'eau. Ensuite, il s'était éloigné de quelques pas, vers cet arbre qui servait habituellement de point de rencontre avec son patron.

Une voix familière ne tarda pas à se faire entendre dans son dos :

— Monsieur Wilson, bonjour ! Aujourd'hui, vous allez me faire votre rapport sur chacun des points importants qui nous intéressent. Je sais que toutes les choses sont arrangées puisque vous me donniez à mesure les renseignements pertinents. Mais je voudrais vous entendre faire le résumé. Alors, je vous écoute.

— Les appareils seront conduits à l'aéroport de St-Eustache au cours de l'avant-midi du vingt-trois. Puisque nous n'avons pu recruter que quatre pilotes pour cette journée-là, l'un des appareils deviendra pour l'occasion avion-taxi entre Canadair et St-

Eustache. Il y aura trois vols de trois appareils. Les neufs avions seront parqués à cinquante pieds les uns des autres, alignés rigoureusement dans le même angle. Les pilotes repartiront en taxi, sachant qu'ils devront revenir travailler le vingt-cinq. L'essence commencera d'être livrée à treize heures par un premier camion qui transvidera entièrement son chargement avant l'arrivée du suivant et ainsi de suite.

— Que croient tous ces gens? Que leur avez-vous raconté?

— Ce que vous aviez dit de sorte que les pilotes, les assureurs des appareils de même que les gens de Canadair croient tous à l'idée de la production cinématographique. Tous ceux qui ont un lien avec l'essence, fournisseurs, transporteurs, pensent, eux, que c'est une expédition spéciale de carburant vers la baie James. Et puisque tous sont déjà payés par chèques visés, ils n'ont pas senti le besoin de poser davantage de questions.

— Par hasard, Monsieur Wilson, connaîtriez-vous cet enfant là-bas, assis sur le banc et qui regarde souvent de notre côté?

— C'est mon fils...

— Voilà une initiative bien désagréable de votre part.

— C'est que je ne l'avais pas vu depuis un mois et que je ne pouvais pas le laisser tout seul chez moi. Vous savez, il n'a que cinq ans. Je lui avais promis que nous irions au feu de la Saint-Jean à Laval dimanche. Mais comme dimanche, je vais travailler à St-Eustache, j'ai décidé de le prendre avec moi aujourd'hui. Autrement, je ne l'aurais pas vu avant le mois prochain. Nous irons dîner ensemble, lui et moi, tout à l'heure. Il part en vacances avec sa mère la semaine prochaine et puis... Je lui ai dit qu'il devrait se tenir tranquille sur le banc s'il voulait qu'on aille manger en haut de...

Mal à l'aise et à bout de souffle, Wilson se tut. Il garda le silence pendant un bon moment mais, n'y tenant plus, il finit par le rompre :

— Je regrette d'avoir fait ça. Je n'ai pas voulu vous causer du désagrément.

— Ne vous en faites pas car après tout, je ne suis qu'un vieil égoïste. Un enfant si charmant...

François gambillait et, toutes les trente secondes, tournait son petit visage blême et inquiet vers son père.

— Il a l'air de vous ressembler, n'est-ce pas ?

— Oui, sauf qu'il n'est pas laid, lui...

— Vous savez, le métier d'espion industriel nous rend parfois terriblement soupçonneux. Veuillez m'en pardonner. Vous allez me prouver que vous me pardonnez en envoyant votre fils au feu de la Saint-Jean comme prévu. Vous ne pourrez être avec lui, mais vous trouverez bien quelqu'un d'autre pour l'accompagner, n'est-ce pas ?

— C'est toujours une question d'argent.

— Vous oubliez que vous disposez maintenant de cinquante mille dollars.

— C'est pourtant vrai !

— Mais quand même, je veux que vous payiez à même les autres fonds dont vous disposez. Il doit bien rester une bonne dizaine de milliers de dollars, n'est-ce pas ? Donc vous tirerez un chèque de... disons deux cents dollars à cette fin. Payez-lui une gardienne qui puisse l'accompagner à la fête et, avec le reste, vous achèterez quelque chose à votre fils. Vous lui direz que c'est un cadeau de la part d'un oncle qui le trouve tout à fait charmant. Vous me le promettez?

— Je vous le promets et je vous en remercie beaucoup, dit Wilson avec un soupir d'intense soulagement. Ému, il rajouta:

— Vous êtes un homme sévère mais rempli de générosité.

— Vous n'avez pas fini de connaître certains de mes côtés cachés. Ne trouvez-pas qu'il soit plus important de connaître l'âme d'une personne plutôt que son identité?

— Sûrement...

— La suite de votre rapport, s'il vous plaît!

— Le vingt-quatre, il n'y aura qu'un seul employé à l'aéroport de St-Eustache et je l'ai soudoyé. Il ne verra pas que les avions s'envolent quand vous décollerez pour aller simuler l'incendie de forêt dans les Laurentides. Vous partirez vers vingt et une heures et serez de retour deux heures plus tard environ. Pendant ce temps, je resterai en contact radio avec vous. Ensuite...

— Ça va, ça va, merci. Questions financières maintenant. Faisons la revue de ce qui a été dépensé. Vous avez toutes les factures? Équipement cinématographique, dépenses de bureau, droits d'auteur, salaires et honoraires versés, frais de location d'avions, achat d'essence, assurances sur les appareils etc...

•

Elle faisait machinalement tourner ses doigts dans les boucles du fil de téléphone.

Ils parlaient tous les jours ensemble; pourtant, ce midi-là, leurs voix avaient une teinte inhabituelle.

— C'est ça qu'ont dû ressentir nos parents le jour de leur mariage, fit Jean.

— J'ai peur... mais je ne reculerai pas.

— Y'a une chose qui me chicote et c'est l'histoire de la Saint-Jean. Plutôt d'aller au Centre de la Nature, d'être pris dans la foule, dans la circulation, tu ne penses pas que nous devrions tout bonnement aller prendre une chambre et...

— Jean, c'était entendu que nous allions fêter la Saint-Jean avec Manon, Linda, Guy et René et nous irons. Et puis, c'est la fête de mon peuple: je veux moi aussi y assister.

— Vois-tu, c'est justement ce qui me fait peur. J'ai l'impression que tout ça, c'est du péquisme déguisé. Avant, tu cherchais à m'embarquer directement, ce que tu as cessé de faire heureusement. Mais maintenant, on dirait que tu cherches à m'embarquer subtilement. Tu me fais penser au gouvernement qui s'est raffiné pour embrigader et entortiller les gens sans que ceux-ci ne s'en aperçoivent.

— Non Jean, ce n'est pas ça. Est-ce que je t'ai poussé dans le dos pour que tu ailles voter le 12 et le 19?

— Parce que tu savais, comme le P.Q. le sait, que le tour important, c'est le dernier. Toi aussi, tu as eu la piqûre de l'étapisme.

— Jean, nous nous tirerons les cheveux demain si tu le veux, mais pas aujourd'hui, je t'en prie. Tu n'as pas voté, tu n'iras pas voter et ça te regarde. J'ai voté deux fois pour la souveraineté-association et après-demain, je vais voter pour le rapatriement-délégation : tu admettras que ça me regarde. Tout ça n'a rien, mais absolument rien à voir avec ce que je ressens pour toi. Parlons de nous deux, tu veux ?

— Je suis content de t'entendre parler de cette manière. Je m'excuse de ce que j'ai dit. On fait la paix ?

— Oui, mon chéri. J'aimerais bien aussi faire la paix avec ton chien. Il n'a pas l'air de m'aimer beaucoup, celui-là.

— Travol n'est pas jaloux comme on le pense, tu sais. Je crois que c'est parce qu'il ne te connaît pas assez. Je devrais l'emmener avec nous ce soir. Évidemment qu'on le laisserait dans l'auto. Ou peut-être avec René. Ils ont l'air de sympathiser tous les deux.

— C'est pas une mauvaise idée. Peut-être qu'en faisant un bout de chemin avec lui, il s'habituera à mon odeur.

— Sans vouloir revenir en arrière, Mélanie, sais-tu que la température n'est pas trop certaine. Il y a forte apparence de pluie dehors.

— S'il pleut, on va laisser faire la Saint-Jean, bien entendu. De toute façon, il n'y aura pas de fête à Laval sous la pluie. Ils ont dit que ça serait remis advenant du mauvais temps.

— Juste pour agacer, Mélanie : à la place du président des fêtes du Patrimoine, cette année, j'aurais vérifié les statistiques de température pour le 24 juin ces cinquante dernières années.

— J'comprends pas ce que tu veux dire par ça.

— C'est que j'ai idée que le choix du 26 comme date du dernier tour de scrutin pour le référendum à peine deux jours après la grosse fête, ça fait curieux.

— Jean, on dirait toujours que dans ta tête, les gens du P.Q. sont les renards les plus malicieux de la terre.

•

Wilson avait dormi dans l'un des appareils: celui qui était allège. Il avait bien dormi. N'avait pas rêvé. Du moins n'en eut-il aucune souvenance à son réveil.

Sa première pensée avait été pour son fils. François avait passé la veille de même que la nuit chez une voisine de palier, une femme d'une cinquantaine d'années aux allures maternelles. Elle irait manger avec lui au restaurant aux deux repas de la journée, puis elle l'emmènerait au feu de la Saint-Jean à Laval.

Son coeur se serra à la pensée de ne pas pouvoir recueillir les rires de joie de son fils toute cette journée-là. Mais après tout, l'enfant était entre bonnes mains et c'était ça l'important. Et puis il se dit qu'au fond, une fête de la Saint-Jean, ça ne devait pas être si drôle pour un bambin de cinq ans. À part le feu, bien sûr...

Wilson consulta sa montre. Il était neuf heures. Comment tuer le temps en attendant que son patron, l'autre Wilson, communique avec lui?

Fouillant dans une boîte à provisions qu'il avait déposée dans la cabine de pilotage, il prit un sandwich enveloppé de papier ciré et commença à le développer. Puis il se ravisa. Il ne déjeunait jamais et ne ressentait aucune faim. Même pas d'envie gratuite de bouffer quelque chose. Son geste de prendre le sandwich n'avait pas été autre chose que machinal, nerveux. Il se le reprocha en regagnant son sac de couchage.

— Alors l'image de l'anglophone aux allures militaires lui fit froncer pensivement les sourcils. Il s'allongea sur le dos, mains croisées sous la tête, et se remémora sans ordre quelques souvenirs des dernières semaines, de ce rêve impensable mais bien réel. Tellement impossible que pour se le prouver, il traînait sur lui son livret de banque, celui des cinquante mille dollars.

Que d'aspects bizarres dans toute cette aventure! Il lui avait fallu chaque jour côtoyer l'insolite, l'insondable.

Par exemple, obtenir les plans du Cl-215 à mesure qu'ils avançaient c'eût été un jeu d'enfant. Il aurait suffi d'un ou deux alliés chez Canadair. En plus que la société étant propriété du gouvernement fédéral, les mesures de protection contre l'espionnage industriel ne devaient pas y être bien serrées.

Malgré qu'il s'agisse d'une autre forme d'espionnage, continua-t-il de réfléchir. Il n'était pas question pour l'autre compagnie dont il n'avait jamais su le nom, de chercher à copier le Cl-215, mais à démontrer son infériorité pour ainsi faire mieux avaler aux éventuels clients le million supplémentaire qu'il leur faudrait débourser pour cet autre avion-citerne.

D'un autre côté, oui, ça se tient. Un seul client comme le gouvernement de Thaïlande n'avait-il pas acheté vingt CL-215 depuis un an? Pareil contrat pour la compagnie espionne aurait rapporté un profit de près de dix millions puisqu'il semblait, selon les indications parcimonieuses de l'Anglais en tout cas, que sa société réalisait environ un demi-million de bénéfice par appareil.

Et cette histoire de simulation d'un incendie de forêt quelque part dans les Laurentides après le coucher du soleil ne manquait pas de le rendre soucieux. Huit appareils avaient été remplis de plus de douze cents gallons d'essence et de mazout chacun pour un total de dix mille gallons. Leur contenu serait déversé sur un boisé déjà à moitié brûlé dans la région de Ste-Lucie. On y mettrait le feu, sans doute à l'aide d'une fusée, puis les appareils iraient remplir leurs réservoirs d'eau dans un lac voisin et reviendraient combattre l'incendie, tandis que du neuvième avion, l'on prendrait des photos et l'on tournerait du film. Et comme ça, en pleine nuit? Ce sera encore mieux, avait rétorqué l'Anglais. Les faiblesses du CL-215 seront encore davantage mises en lumière. Mais pour filmer? avait demandé Wilson. Équipement de première catégorie, filtres spéciaux: aucun problème, avait répondu l'autre. Comment les faiblesses du CL-215 seront-elles soulignées? Il y a le feu; on jette de l'eau dessus. Et après? C'est pas pour une différence dans l'extinction de quelques centaines de pieds carrés par arrosage que les clients vont réagir?

Nous savons ce que nous faisons, avait répondu sèchement l'Anglais, mais je vais quand même vous fournir une explication claire. Un: nous avons choisi un boisé déjà à moitié brûlé pour que ça donne l'air d'un véritable incendie au plus fort de sa rage. Deux: pour mettre le feu dans un tel boisé, il ne fallait pas moins que de l'essence et du mazout. Trois:

un feu alimenté par de l'essence est très difficile à combattre. Par conséquent, les CL-215 auront beau se désâmer, l'incendie fera son temps. Quatre: quand son temps justement achèvera et que le combustible sera sur le point d'être épuisé, notre appareil entrera en ligne d'action et démontrera hors de tout doute son efficacité. Sur film, l'effet sera saisissant. Cinq: l'opération aura duré à peu près une demi-heure et ne laissera aucune trace.

Il avait réponse à tout et c'était toujours logique. Et quand il avait refusé de répondre, ça n'avait pas d'incidence sur le sens de toute l'affaire.

Tout cela n'était-il justement pas trop logique pour ne pas laisser subodorer quelque chose?

Tiens, voilà que je raisonne en femme maintenant, pensa-t-il. Je me suis posé des tas de questions, j'ai obtenu par l'Anglais ou par ma réflexion toutes les réponses. Et voilà que j'ai envie de douter. Parce que je sens qu'il y a peut-être anguille sous roche. Peuh! j'en ai eu une, une bonne femme entre les mains. Je ne me ferai pas prendre à réfléchir à leur manière. Ça ne sait pas se servir de ce qu'elles ont entre les deux oreilles. Ça pleure, ça aime, ça rit et ça agit sans savoir pourquoi...

Il retourna à ses provisions se chercher une cannette de bière qu'il ouvrit sans précaution et qui lui souffla au visage trois gouttes de broue dans un sifflement sympathique.

« Quel caractère tu as ce matin, toi! »

Il avala une gorgée, se rassit sur son sac de couchage, croisa les jambes à l'indienne, poursuivit son dialogue avec la bière.

« Tu as plus de caractère et surtout plus de fidélité qu'une femme. Ouais, la bière, l'argent et le sexe, y'a que ça de vrai dans la vie. Ça ne trahit pas qui sait s'en servir. C'est comme ça que pensent les hommes, les vrais, ceux-là même qui ont du succès auprès des femmes. Les bonnes femmes, elles me font rire. Elles se plaignent d'être prises pour des objets et pourtant, elles adorent ça. Je l'ai respectée, je l'ai aimée... »

Il porta brusquement la cannette à sa bouche et but gloutonnement sans égard à la bière qui s'en échappait et dégoulinait de chaque côté de son menton. Puis il cracha tout haut :

— Qu'elle aille au diable ! Qu'elles aillent toutes au diable, les bonnes femmes !

Quand il eut fini sa bière, il consulta à nouveau sa montre et décida de roupiller encore un bout de temps.

Réveillé par la chaleur et la faim en début d'après-midi, il se leva au meilleur de sa forme, sans angoisse, sans peur, sans doute, plein de sérénité.

Il n'avait pas fini de manger que son chef le contacta par C.B. Alors il confirma ce que l'autre désirait savoir, c'est-à-dire que tout était prêt : les neuf avions à leur place, prêts à décoller, huit d'entre eux lourds de douze tonnes de gazoline et de mazout. Il dit qu'il n'y avait eu aucune activité depuis la veille au petit aéroport où il n'y avait d'ailleurs qu'un seul employé à la tour de contrôle tout comme prévu. Il répondit qu'il avait aussi les lanternes qu'il faudrait mettre aux quatre coins de la piste pour le retour des avions puisque les pilotes feraient du vol à vue.

Tout n'est pas si secret, pensa Wilson après sa conversation, puisqu'il ne nous a fait utiliser aucun code. Il haussa les épaules pour rajouter à sa réflexion: « Qui pourrait bien comprendre quelque chose à la communication que nous venons d'avoir? »

•

Jean était assis face à Bertrand Germain dans le petit salon. Il avait l'air jonglard et son vis-à-vis le lui fit remarquer.

— J'sais pas, commenta-t-il, y'a quelque chose dans l'air aujourd'hui qui me rend nerveux. Ça m'arrive de me lever ainsi. Mais ça passe vite.

— C'est parce que c'est dimanche. Le dimanche, on ne se sent pas pareil dans sa peau.

— Vous êtes pratiquant?

L'autre pouffa:

— Oh non! Y'a belle lurette que j'ai décroché de la religion.

— Paraît que chacun a en lui une certaine dose de foi en venant au monde et qui ne change jamais. Quand on jette une croyance par-dessus bord, inconsciemment, une autre vient la remplacer.

— Autrement dit: qui est naïf le reste?

— Ben... C'est une manière de le dire... Mais je ne pense pas que le mot naïf s'applique à vous.

— Ah, j'sais ce que tu veux dire. Puis c'est pas bête. Regarde aux États: les gens retournent vers les religions. Ou les sectes: pense à Jim Jones. Puis c'est pareil ici. Prends le mouvement charismatique, le « marriage encounter », les horoscopes...

— La politique, coupa Jean.

— Ah, ça, c'est pas tout à fait pareil. Vois-tu...

Mélanie vint interrompre leur conversation pour faire part à Jean de ses entretiens téléphoniques avec Linda et Guy.

— Excusez-moi... Jean, fit-elle en agitant nerveusement les bras et les mains, chacun va prendre son auto après souper et on va se retrouver à vingt heures le plus près possible du premier escalier du côté droit au Centre de la Nature. Ça va?

Il sourit d'un air complice et répondit:

— Parfait! D'autant plus que nous sommes déjà trois...

— Trois? questionna-t-elle surprise.

— Bien oui: moi et Travol...

Elle s'esclaffa:

— Je l'oubliais celui-là. Tu l'as emmené... Mais ça veut dire que tu l'as laissé dans l'auto?

— Il est habitué d'attendre... C'est un mâle.

Mélanie se mordit la lèvre supérieure en souriant:

— Fais-le entrer. Peut-être que s'il renifle l'air des Germain, le gouffre social entre lui et nous va se remplir un peu.

Jean se tourna vers Bertrand, ouvrit largement les bras et s'exclama:

— Jamais battue, la Mélanie.

Le père le prit comme un compliment à son égard, mais il se retint décemment de sourire trop.

Sitôt entré, Travol, un petit bâtard aux allures de Benji se mit à gronder agressivement et à montrer les dents.

— Couché, ordonna péremptoirement son maître.

La petite bête rousse s'accroupit aussitôt aux pieds de Jean, les yeux rivés sur lui, attendant piteusement l'ordre suivant.

•

Une voiture-patrouille de la police de St-Eustache stoppa devant la bâtisse blanche de l'aéroport. Le bruit des portières fit sursauter Wilson toujours allongé sur son sac de couchage. Il se rendit aussitôt à la cabine de pilotage pour savoir de quoi il retournait car il était bien trop tôt pour que ce fussent les pilotes et son patron, l'Anglais.

Son visage se vida de son sang, ce qui n'empêcha pas l'homme d'entamer un brusque mouvement de recul quand il aperçut l'auto aux identifications menaçantes et derrière, deux agents s'apprêtant à entrer dans la bâtisse de la tour de contrôle.

« Tout ça est une machination et me voilà en plein milieu du piège, » se dit-il avec effroi en penchant la tête.

Les quelques minutes que dura la visite des policiers s'inscrivirent en années dans le cerveau de Wilson qui pourtant fonctionnait à rebours comme une machine à explorer le temps.

« Quelle était donc l'explication de tout ce bazar ? Le film des événements depuis sa première rencontre avec l'Anglais se déroula dans sa tête à une allure vertigineuse. La réponse devait bien être là, quelque part. Il devait y avoir une faille dans les explications de ce Wilson trop supérieur pour être authentique ! Pourtant, il n'y avait rien d'illogique... »

Il releva la tête et vit avec horreur les policiers sortir et se diriger vers la piste au lieu de regagner leur véhicule.

« Que me reste-t-il à faire ? » se demanda-t-il en essuyant ici et là de la sueur froide qui suintait de chaque pore de la peau de son visage.

Alors il se concentra sur les paroles de l'Anglais. « C'est lui qui doit avoir la réponse, » pensa-t-il. Une phrase libératrice vint inonder son cerveau :

— Quoi qu'on dise, quoi que l'on fasse, quoi qu'il se passe, vous êtes un producteur de cinéma, pas autre chose.

Voilà ce qu'avait dit l'Anglais et voilà ce à quoi il se raccrocherait envers et contre tous.

Dans un geste vigoureux, il se rassit sur son sac et prit une position d'attente. Mais la peur revint en force et injecta une énorme faiblesse à ses membres flageolants.

« Et s'ils savaient tout... Tout ce que je ne sais pas moi-même ? »

Poussées par toutes ses forces, aspirées par tout ses faiblesses, d'incontrôlables larmes envahirent ses yeux. À peine eurent-elles le temps de commencer à rouler sur ses joues que le même bruit de portières que plus tôt le sortit de son état d'âme.

Il marcha vers la cabine de pilotage. À quatre pattes. Il eut à peine le temps d'apercevoir la voiture-patrouille qui disparaissait par le même chemin d'où elle était venue.

Un rire sauvage vint agiter tout son corps de convulsions bienfaisantes. Il roula sur le plancher de l'avion jusqu'à son sac qu'il utilisa pour s'éponger la figure. Des soubresauts nerveux continuaient d'agiter ses épaules.

Il commençait à déboutonner sa chemise pour donner à la buée qui enveloppait son torse la chance de s'évaporer quand un coup à la porte lui fit froncer les sourcils.

— C'est le gardien de l'aéroport, dit une voix à l'extérieur.

Il ouvrit et l'autre poursuivit :

— J'étais venu vous dire de ne pas vous inquiéter au sujet de la petite visite que viennent de me faire des policiers de la ville. Ils sont simplement venus vérifier la longueur de la piste pour y faire atterrir un avion que vient d'acheter le club aéronautique dont ils sont membres.

— Ah, mais je n'ai rien remarqué, fit Wilson en boutonnant sa chemise comme s'il venait de se lever. Il est venu quelqu'un ?

•

— Deux Big Mac, deux grosses frites, deux cafés, deux chaussons aux pommes.

— Pour sortir ou pour manger ici ? demanda la petite serveuse aux yeux brillants et au crayon pressé.

— Pour manger ici, répondit Jean.

Afin d'être plus certain, il tourna la tête du côté de Mélanie. Elle avait trouvé des places.

— Oui, pour manger ici, répéta-t-il à la serveuse. Mais la jeune fille n'était déjà plus là.

— Ça semblait plein quand nous sommes entrés. Comment as-tu fait pour trouver des places ? demanda-t-il à sa compagne quand ils furent attablés.

— Je me suis déguisée en méchante sorcière, j'ai sorti de longues griffes et j'ai chassé deux petits enfants peureux, fit Mélanie dans une mimique faussement agressive.

— Tu as bien fait. Je déteste les enfants moi aussi, fit-il sur le même ton faux.

— Tu sais ce que nous aurions dû faire ? Nous

apporter une bonne bouteille de vin pour accompagner nos hamburgers.

— Bonne idée! Un Beaujolais avec un Big Mac: la rencontre de deux cultures...

— Et de deux classes sociales...

— Méchante! Mais ton idée est tellement bonne que la prochaine fois, on va le faire.

— Tu es malade! On n'a pas le droit d'apporter des boissons alcoolisées dans un restaurant non licencié.

— Je me demande bien qui pourrait m'en empêcher?

— Le propriétaire.

— Nous n'irons pas lui demander la permission. Et avant qu'il s'en aperçoive, le repas sera fini.

— Tu n'as rien acheté pour ton chien?

— Je vais le faire en sortant. Je veux qu'il mange chaud lui aussi.

— Avec le monde qu'il y a ici, tu vas attendre un autre bon quinze minutes.

— Tu en profiteras pour aller jaser avec Travol.

Ce qu'elle fit une demi-heure plus tard.

Dans l'auto voisine, il y avait un bambin aux cheveux raides et noirs et qui avait échangé des airs avec Travol. Mélanie sourit à l'enfant qui, une fois rassuré, poursuivit son manège. Lorsque le chien penchait la tête, le gamin faisait de même; quand l'animal aboyait, l'autre l'imitait.

Séduite par le charme du tableau, Mélanie se mit à songer à Linda qui serait mère si jeune. Et pour la première fois, elle comprit les sentiments que son amie avait essayé de lui faire comprendre et partager... en vain.

Accablé de chaleur sous ses longs poils frisés, le chien respirait en saccades, la langue pendante et les oreilles ballantes. Le petit gars écrasa sa babounе contre la vitre et surajouta une grimace volontaire à son visage déjà monstrueux.

Mélanie éclata d'un long rire sonore sous le regard décontenancé de l'enfant et les yeux inquiets du chien. Puis elle se dit que le gosse devait crever de chaleur dans cette petite auto. Mais elle n'avait pas remarqué que le conducteur avait laissé une vitre ouverte de son côté.

Une femme d'une bonne cinquantaine d'années s'approcha puis monta dans la voiture avec, dans les mains, un grand sac blanc qui avait l'air tout plein de bonnes choses. Elle dit d'une voix que Mélanie ne put entendre:

— François, nous allons manger au Centre de la Nature. En y arrivant à aussi bonne heure, je ne vais pas être prise dans un embouteillage et je trouverai une bonne place pour stationner l'auto.

Elle fit reculer gauchement sa voiture puis se remit en marche avant sans faire montre de plus de compétence.

Quelques minutes plus tard, c'est la Camaro blanche qui passait juste à côté des pattes voluptueusement ouvertes du grand M de l'enseigne Macdonald's.

•

Le soleil avait fini par se montrer le bord du nez, mais c'avait été à peine une demi-heure avant de se camoufler pour la nuit sous ses couvertures ouatées.

Une mer de monde avait déjà envahi le Centre de la Nature et le flot ne cessait de s'y endiguer depuis toute la largeur de l'entrée.

Mélanie, Jean et leurs amis, de même que Travol tenu en laisse par René, s'étaient trouvé un petit coin en avant, tout près de l'estrade jonchée d'une panoplie électronique recelant la promesse d'une chaude soirée. Au fond, le long de la paroi rocheuse, il y avait une chambre d'artistes improvisée et dont l'intimité n'était protégée que par un simple rideau bleu.

— Chaque artiste va faire une vingtaine de minutes sur scène pour un total d'à peu près deux heures, calcula tout haut Mélanie.

— C'est Lemay qui ouvre le spectacle et tout de suite après, ce sera Gadbois, dit Linda confortablement installée dans une petite chaise de toile qu'avait apportée René exprès pour elle, chose à laquelle il n'eût jamais pensé deux mois auparavant.

— Tu ne me croiras pas, poursuivit la future mère, mais je n'ai jamais vu Gadbois en spectacle.

— Et moi non plus, fit René.

— Ni moi non plus, dit Manon. Qui l'a vu? Toi Guy?

— Non.

— Moi, je l'ai vu, fit Jean.

— Ne vous posez pas de questions, il a tout vu ce qui peut s'appeler spectacle au Québec, commenta Mélanie avec un regard maternel sur son ami.

— Ben quoi? Un spectacle par semaine: y'a rien d'exagéré là-dedans? C'est ma manière à moi d'être nationaliste: j'encourage les artistes québécois.

Guy déboucha sa caisse de cannettes, en prit une qu'il tendit à bout de main pour demander :

— Qui veut une bière ?

À l'autre bout de la cuvette, la plupart des arrivants de sexe mâle portaient sous un bras une caisse, objet particulièrement utile pour s'asseoir.

La fête nationale des Canadiens français commençait vraiment.

•

Les appareils jaunes avaient fini de flamboyer sous les derniers reflets du soleil couchant. La lune, qui commençait d'allumer son incendie sur la tôle éclatante, fut secondée par les quatre paires de phares jumelés de deux rutilantes Cadillac. Les voitures stoppèrent de l'autre côté après un demi-tour impérial sur la piste.

Onze hommes en descendirent et se groupèrent en un cercle fermé au milieu de la piste à une centaine de pieds des avions. Ils étaient tous revêtus du costume de pilote de la R.A.F., mais avec en plus, sur les yeux, des lunettes enveloppantes à verres non fumés dont la seule présence suffisait cependant à rendre les visages méconnaissables.

Wilson avait ouvert la porte de l'appareil dans lequel il avait vécu depuis plus d'une journée et se tenait dans l'embrasure, lanterne en mains, comme s'il avait cherché à comprendre l'étrange rituel auquel se livraient ces hommes non moins mystérieux et qui semblaient sortir tout droit d'un vieux film de guerre en noir et blanc.

Les hommes croisèrent leurs bras devant eux afin de se donner la main des deux mains à la fois. La voix de l'un d'eux, familière aux oreilles de Wilson, plana au-dessus de la piste et dit ces mots:

— Alle für einen!

L'on répondit en choeur les mêmes mots, mais Wilson ne sut pas ce qu'ils signifiaient ni en quelle langue ils étaient.

Le colonel Osborne accompagné d'un géant se détacha du groupe et se rendit jusqu'au pied de l'escalier en haut duquel se tenait Wilson.

— Je suppose qu'il s'agit de l'appareil dont les réservoirs sont vides? demanda-t-il.

— C'est exact.

— Vous allez y rester le temps que les pilotes vont monter dans les autres. Je présume que toutes les clefs sont dans les cabines de pilotage tel qu'entendu?

— C'est cela.

— Rentrez dans l'avion, nous allons vous enlever ceci.

Le géant manipula l'escalier de sorte que les huit pilotes des appareils chargés de carburant puissent grimper à bord. Puis il ramena la rampe mobile auprès du premier appareil.

Wilson descendit. Le colonel lui ordonna de le suivre pour aller quérir du matériel cinématographique dans les Cadillac. Le géant fut aussi de la commission et chacun retourna les bras chargés. L'un d'un coffret de bois portant l'inscription: CAMÉRA et l'autre, d'une mallette de cuir d'une lourdeur de plomb. Ils remontèrent à bord de l'avion, précédés du dernier pilote.

Sitôt sa tâche accomplie, Wilson reçut ses ordres suivants de celui qu'il n'avait jamais cessé de prendre pour son homonyme.

— Vous pouvez reprendre vos affaires et nous attendre près des voitures. Vous serez gardien des automobiles pendant notre absence. Pour tout de suite, veuillez aller mettre les lanternes en position car nous allons décoller dans quelques minutes.

Wilson rangea les lanternes dans sa boîte à provisions maintenant vidée de son contenu, puis il roula tant bien que mal son sac de couchage et quitta l'avion, du stock plein les bras, suivi sur les talons par le géant. Quand il fut rendu sur la piste, le colonel lui cria:

— Vous aurez de la compagnie durant notre absence. Malheureusement, vous ne pourrez communiquer ensemble. Inutile de lui parler, il a l'ordre de ne pas vous répondre. De plus, je vous donne l'ordre de ne pas lui adresser la parole. Et, de toute manière, vous n'auriez rien d'intéressant à vous dire.

Osborne consulta sa montre et termina son interpellation:

— Ajustez votre montre à vingt et une heures et treize minutes. Nous serons de retour peu après vingt-trois heures.

Wilson obéit après avoir déposé ses affaires près d'une des voitures. Puis il chargea son bras de deux lanternes, en prit une troisième pour s'éclairer et courut en placer une en chaque coin de la fin de piste après l'avoir allumée et en avoir dirigé le faisceau à quarante-cinq degrés vers le ciel.

•

Les deux énormes boules de lumière éclairant la scène s'éteignirent. La rumeur émanant de la foule devint plus compacte. Ce bruit silencieux dura près d'une minute.

Alors un son indécis se fit entendre et soudain, deux lumières bleues coulèrent en halo jusqu'au plancher de la scène. Le son se précisa dans les haut-parleurs: c'était musical. Deux lumières rouges apparurent et rejoignirent le voisinage des bleues...

Le son fut haussé d'un cran; des ronds verts se dessinèrent sur l'estrade... Enflure du son; reflets orange... Excès; jaune...

Travol se coucha entre son maître et René. Il ferma tranquillement les yeux comme s'il venait de déconnecter ses tympans.

Mise à part l'intensité sonore, il s'agissait d'une fort jolie pièce en style disco interprétée par un pianiste québécois de réputation internationale.

Un peu partout dans l'assistance, des mains se mirent à battre la cadence. Le coeur de Mélanie commença lui aussi à battre la chamade. Yeux clos, elle savourait la joie d'avoir réalisé une magnifique jonction: des ponts solides avaient été bâtis entre sa façon de voir la vie et celle de Jean. Leur union serait plus que physique; ils connaîtraient, comme le disait si bien Jean et comme ils le désiraient tous les deux, une fusion totale. Quelques heures à peine les en séparaient encore.

Une pensée la fit sourire: « C'est vrai que l'odeur du pain de ménage devait être un peu forte à ses narines. » Puis elle se dit que sans cet épisode, leur amour serait peut-être beaucoup moins grand.

Elle et lui étaient assis sur une couverture douce très près l'un de l'autre. Il avait passé son bras autour des épaules de sa compagne, laissait ses doigts caresser des régions connues mais toujours neuves, comme l'orée d'une forêt vierge gardant son mystère tant que toute la forêt n'a pas été explorée.

Tout était douillet autour d'elle. Le tissu mousseux sous ses cuisses, le bras chaud de son compagnon, l'air tiède d'une nuit qui s'annonçait munificente. Les complicités se multipliaient pour aiguillonner son désir.

La musique cessa brusquement et toutes les lumières disparurent. Ce fut pour quelques secondes une obscurité profonde à laquelle les pupilles n'eurent pas le temps de s'adapter. Les dernières notes de la pièce musicale se répercutaient encore au fond des âmes, les halos colorés n'avaient pas fini de vibrer sur les rétines qu'un rond jaune tomba sur l'estrade. Un pied nerveux s'y posa, se mit à taper accompagné de la musique d'un ensemble encore invisible mais que l'on devinait là, derrière.

Le son s'accentua et une lumière finit par tomber sur l'artiste qui commença à battre des mains sur ce rythme à odeur québécoise. La foule emboîta le pas.

— Lemay a le don de réchauffer une assistance, commenta Jean à l'oreille de Mélanie.

Elle le regarda, sourit et fit signe que oui.

— Moi, j'ai envie de le trouver aussi bon que Gadbois, ajouta-il.

Mélanie tourna la tête et lui adressa une moue incrédule.

— Ben quoi? Qu'est-ce que l'autre a de plus? Une réputation internationale?

— Ils ont chacun leur talent, mais moi je préfère celui de Gadbois. Il est plus de notre temps.

— Petite conformiste de Mélanie Germain. Ce qui fait mode n'est pas nécessairement meilleur.

Elle ferma un oeil, cessa de battre des mains et rétorqua le regard vif après un moment de ce qui avait eu l'air d'une sérieuse soupesée :

— Tu as raison.

Il reprit son air malicieux :

— Et j'ai raison aussi quand je crois que nous devrions nous en aller...

Elle lui demanda l'air suppliant :

— Tu ne veux pas qu'on reste pour le spectacle de Gadbois ?

— Si tu y tiens, fit-il avec un hochement de tête bienveillant.

•

Les puissants moteurs du premier CL-215 avaient mis en mouvement leurs hélices tri-pales dans un ronflement de géant. Ni la stridence d'un réacteur ni l'acrimonie d'une pétarade de motocyclette, mais un son riche, important, à la fois autoritaire et sympathique, presque majestueux.

À leur tour, les autres pilotes mirent en marche les moteurs de leurs avions. Alors ce fut le colossal concert de vingt mille chevaux-vapeur trépidants, anxieux de faire jaillir à son maximum toute la fougue de leur jeunesse.

Osborne, qui faisait office de co-pilote, sourit à Biggs qui lui, demeura impassible.

— En position, ordonna le colonel.

Le pilote manoeuvra et fit avancer l'appareil jusqu'au milieu de la piste. Il attendit le signe de départ de son chef. Osborne jeta un bref coup d'oeil au tableau de bord puis il dit simplement en esquissant un geste de la tête :

— En avant !

Biggs mit pleins gaz. L'avion s'ébranla, accéléra, s'arracha avec assurance de l'asphalte de la piste.

Depuis les Cadillac, Wilson avait guetté les feux intermittents du CL-215 s'élever puis tourner en rond à quelques centaines de pieds dans le ciel tandis que le second appareil se mettait à son tour en position de décollage.

« S'il fallait qu'il ne réussisse pas à décoller avant la fin de la piste, avec un pareil chargement, il risquerait de sauter comme un pétard et ses occupants avec, » pensa Wilson.

Puis il se moqua de lui-même, de sa pensée inutile. La piste avait un mille de longueur ; or, le CL-215 n'en avait besoin que de la moitié pour décoller, ses réservoirs chargés à pleine capacité. De plus, l'appareil avait une réputation enviable : on le disait extrêmement puissant et parfaitement sécuritaire, à condition de savoir s'en servir.

À la file indienne, les avions prirent l'air sans la moindre difficulté et s'alignèrent dans une formation en V comme des lucioles disciplinées.

•

Lemay acheva sa dernière chanson, salua à trois reprises sous les applaudissements nourris et disparut dans la chambre des artistes d'où il resurgit dix secondes plus tard vêtu d'un autre veston tout aussi tape-à-l'oeil que celui qu'il avait arboré durant son spectacle.

— Vous ne vous débarrasserez pas de moi aussi facilement, dit-il à son retour au microphone. Si votre souffrance de m'entendre chanter est terminée, celle de m'entendre parler commence puisque j'aurai le plaisir de vous présenter chacun des artistes au programme ici ce soir. Et parmi ceux-là, l'un des plus intéressants qui soient, l'un des meilleurs comédiens que nous puissions avoir à l'Assemblée nationale du Québec, le ministre de la Jeunesse, des Loisirs et des Sports... Bon, vous ne trouvez pas la farce bien drôle et vous avez cent pour cent raison parce qu'avec la transparence qui transparaît maintenant au gouvernement, on ne peut plus faire les gorges chaudes au sujet de nos politiciens. Alors même si on ne peut pas le prendre pour une tête de turc, c'est toujours un plaisir de l'entendre parce que ses discours ne sont jamais échevelés... Voici donc, chers amis, un jeune homme à l'esprit jeune; et ce n'est pas peu dire. Voici un vrai Québécois, notre ministre de la Jeunesse, des Loisirs et des Sports, Claude, viens nous dire quelques mots...

Malgré cet humour d'un goût douteux, le ministre s'endimancha le visage grimpa sur la scène et se rendit au microphone sous un tonnerre de vivats.

— Mes amis, ma chanson va peut-être vous paraître plus longue que celles de mon ami Lemay, mais je vous le garantis, elle ne dépassera pas trois minutes. Chers amis, j'accepte avec beaucoup d'agrément que l'on me qualifie de vrai Québécois et spécialement ce soir. Et vous savez pourquoi? Eh bien, c'est parce que je ne suis pas seul dans ce cas-là. J'ai en effet devant moi plus de deux cent mille autres vrais Québécois.

La foule applaudit avec chaleur et le politicien poursuivit :

— Mais même si vous étiez tous des anglophones...

La foule hua copieusement.

— ...et même si cette fête était celle des « Canadians »...

Le mot prononcé en anglais provoqua de nouvelles huées.

— ...je serais fier d'être présenté comme un vrai Québécois à l'idée tout simplement de savoir qu'il y a dans la province de Québec des millions de vrais de vrais et qui vont montrer qu'ils le sont après-demain...

L'assistance explosa et les applaudissements fusèrent pendant près de quarante-cinq secondes.

— Les amis, l'histoire, la géographie, les ressources naturelles, les ressources humaines, notre culture sont nos atouts majeurs. Quoi de mieux pour un peuple? Il fallait les conjonctures. Elles sont là. La clef de notre libération nationale est dans la serrure; il reste aux Québécois, aux vrais Québécois, à la tourner. Et si cela se produit comme c'est probable, alors il y aura lieu de changer la date de notre fête nationale et de se donner à tous rendez-vous ici même non pas dans une année mais bien dans un an et deux jours.

Il y eut des bravos. Le jeune ministre se passa la main dans les cheveux et reprit sa harangue :

— Quel homme, quelle femme de ce pays ne ressent pas au fond de son âme l'appel de la liberté, de la liberté collective, de l'affirmation de son peuple à la face du monde? Après-demain, une bonne partie d'entre vous serez appelés à poser le geste le plus important de votre vie de citoyen du Québec. Dans quel sens le poserez-vous? Dans le sens de l'autodétermination, du libre-choix collectif, d'un avenir bâti par nous avec nos ressources, nos moyens de production, notre main-d'oeuvre? Non seulement nous l'espérons, mais le monde occidental, peut-être pas tous les gouvernements mais certainement tous les peuples souhaitent que nous nous tenions debout après-demain parce qu'ils ont compris, ces gens-là, que nous voulons de la façon la plus légitime qui soit, simplement être nous-mêmes. Est-ce trop demander que de vouloir être simplement soi-même? Bien sûr que non! Et c'est cela que dans la joie et la foi nous allons décider mardi. Joie de vivre québécoise, foi en l'avenir du Québec. Quoi dire d'autre en terminant que cette parole historique ayant stimulé comme pas une notre conscience nationale: « Vive le Québec libre. » Certains diront que le lien confédéral va continuer d'exister. Oui, la Confédération continuera d'exister; mais elle ne sera plus un instrument de contrainte mais bien plutôt un outil mis au service des membres de la fédération. Et le manche de cet outil, c'est nous qui allons le tenir entre nos mains et qui allons nous en servir selon nos besoins à nous et non pas ceux des étrangers.

Je sais que mes collègues ministres vont me reprocher de m'être servi de cette tribune pour faire un peu de politique. Sachez pourtant, mes amis, que je ne vous ai pas parlé aujourd'hui en tant que ministre, mais à titre de Québécois. Et à ce titre-là, on ne peut pas faire autrement l'avant-veille du grand choix de dire aux gens: levons-nous et tenons-nous debout. Je vous demande de vous lever afin que nous puissions chanter ensemble.

L'assistance obéit et le ministre entama la chanson: Gens du Pays.

•

Une femme enceinte n'a pas besoin de se lever pour se tenir debout, dit René à Linda en la repoussant gentiment sur sa chaise.

Elle jeta un regard amoureux à son ami et croisa ses mains sur son ventre.

— Je vais m'ennuyer toute seule par terre, dit-elle sur le ton de la bouderie.

— Tu n'es pas seule: vous êtes même trois...

— Trois? Et qui donc?

— Travol...

— Oui et...

— Et fiston dans ton ventre...

— Et?...

— Et le plus important.

— Le plus important?

— Il ouvrit les bras et s'exclama à travers un rire d'une douceur inimaginable:

— Mais toi voyons!

— Il se pencha et embrassa Linda au front. Puis il entoura la patte de la chaise avec le bout de la laisse du chien et fit un noeud.

Travol perçut une liberté. Il se leva et fit quelques pas, mais un coup à la gorge lui fit comprendre son état de captivité. Cette fois pourtant, il sentait qu'il n'avait pas de comptes à rendre à une main détenant son entrave; c'est pourquoi un mécanisme au fond de lui se mit en branle et l'incita à tâter du cou la solidité de la laisse. Quelque chose semblait vouloir céder à ses instances...

Il resta debout, prit des allures simiesques, cherchant à comprendre le balancement rythmique des corps au-dessus de lui.

— ... de vous laisser parler d'amour, chantait la foule.

À chaque moment vers la gauche, il penchait la tête vers la droite; puis le contraire se produisait. Travol garda son air dubitatif tout le temps que dura la chanson. Quand les assistants reprirent leur place, il se secoua énergiquement.

•

Biggs se gratta la tête à travers son casque, puis il regarda le colonel de ses gros yeux déformés par le verre de ses lunettes. Osborne finit de consulter une carte puis ordonna:

— Cap à sept heures. Nous allons suivre la rivière des Prairies. À la hauteur de Papineau, nous allons exécuter un long virage en U pour donner l'impression que nous arrivons tout droit de Montréal. Et au retour, pour brouiller les pistes, nous ferons le chemin inverse.

Il avait parlé sur un ton glacial qui rassura Biggs.

— Les mois à venir seront difficiles pour nous, mais finalement, c'est l'histoire qui nous jugera, fit le colonel en même temps qu'il se levait pour aller derrière dans la carlingue où il déverrouilla et ouvrit le coffret à équipement cinématographique duquel il sortit une mitraillette qu'il rapporta dans la cabine de pilotage. De l'autre main, il déposa entre les deux sièges la mallette lourde de chargeurs.

Dans un geste aussi professionnel que le bruit qui en résulta, il ajusta un chargeur sur l'arme automatique. Puis il tâta la vitre de la cabine, vérifia si elle glissait facilement et la referma.

— Parfaits ces avions pour la mission qui nous incombe, n'est-ce pas?... Vous savez, monsieur Biggs, combien l'opération va coûter en tout et partout? Deux cent quatre-vingt mille dollars. Il a bien travaillé le petit Canadien français, vous ne trouvez pas? Ce qui veut dire qu'il restera à même le budget du C.C.C. pour chacun d'entre nous une somme de quatre cent vingt-huit mille dollars. Je vous avais parlé d'un salaire d'un quart de million à chacun; eh bien, avec le boni, chacun touchera près du demi-million. Pas mal pour une demi-journée de travail, vous ne trouvez pas?

Oh! je sais qu'aucun d'entre nous n'accomplit cette mission pour un motif aussi terre-à-terre que l'argent, mais comme tout travail y compris celui de la guerre mérite un salaire... En fait, nous allons réussir à régler en deux heures un problème qu'une guerre civile de deux ans n'aurait peut-être pas résolu. Mais surtout, comme je vous le disais à notre dernière rencontre, cette façon de mener la guerre ne produira des pertes que d'un seul côté: celui de l'agresseur. Quant à faire la différence entre les sexes et les âges chez ceux qui tomberont tout à l'heure, ce n'est pas de circonstance puisque dès lors qu'une personne fait partie d'un camp, elle en est aussi un soldat, qu'elle soit un homme une femme ou un enfant. L'armée, c'est le peuple de nos jours! N'est-ce pas? Vous n'êtes pas particulièrement loquace, monsieur Biggs. Pas plus qu'il y a trente-cinq ans. Mais je crois que vous avez bien raison de rester discret. Voyez les gens: ils parlent, parlent, parlent pour en arriver à quel résultat? À se rendre compte qu'ils ne se comprennent pas du tout. Et il se dépense des milliards pour favoriser le bavardage inutile. Faut s'parler entend-on partout. Mais combien il est plus difficile et plus grand de se taire! Vous, par exemple, monsieur Biggs, vous êtes une personne coite mais fidèle. À cause de cela, vous êtes celui de mes hommes en qui j'ai la plus grande confiance. Je me dis toujours qu'il y a en vous des ressources cachées, insoupçonnées, et auxquelles je pourrais faire appel en cas de besoin extrême, en cas de coup dur. Votre silence fait travailler mon imagination. Les bavards perdent la majeure partie de leur force parce que leur bagout les dénude... Quel âge avez-vous, monsieur Biggs? Soixante? Soixante-deux? Moi, je suis né en 1915. En avril. Le jour même de la première utilisation de gaz asphyxiants pendant la Grande Guerre. Une idée des Allemands bien sûr! Ces Allemands, nous les avons combattus et vaincus, mais au fond, ils étaient peut-être vraiment de meilleure race que nous... On a dit d'eux qu'ils étaient barbares et pourtant, c'est leur barbarie qui a permis une bonne partie du progrès que nous connaissons maintenant. Oui, monsieur Biggs, grâce à la guerre, des milliers de cerveaux ont produit des millions d'idées neuves dans les deux camps. Et des millions d'hommes survivent aujourd'hui parce qu'une fraction de leur nombre ont été sacrifiés. Quelques graines doivent être enterrées pour que des milliers d'autres naissent: voilà qui est inéluctable... Êtes-vous réticent face à l'acte de guerre que nous sommes en train d'accomplir?... Tout acte qui vise la destruction morale d'une ethnie n'est-il pas aussi un acte de guerre? Et quand il se joint à celui de la destruction d'un pays, d'une patrie, n'est-il pas doublement belliqueux? Ce qu'ils veulent, eux: brimer nos droits, nous enchaîner, emprisonner nos âmes dans leurs vues des choses. Par contre, ceux qui vont mourir tantôt seront libérés à tout jamais. Libérés de leurs peurs, de leurs rages, de la douleur, de l'insécurité, de tout... Et leur... sacrifice si on peut dire, servira la libération de la patrie et de ses peuples fondateurs. Voyez-vous, Biggs...

L'autre l'interrompit:

— Colonel, amorçons-nous le virage?

•

— Chers amis, dit Lemay, voici le plus grand, le numéro un, l'artiste québécois qui n'a pas besoin d'être présenté parce qu'il est une véritable institution nationale, celui qui plus que tout autre a contribué à notre patrimoine musical, celui dont les albums sont dans la plupart des foyers du Québec et les chansons dans tous les coeurs, un génie, le meilleur, l'imbattable CHARLES GADBOIS.

Un impressionnant roulement de tambour se répercuta aux quatre coins du Centre de la Nature. Une lumière rouge se rendit chercher l'artiste qui fit une entrée au pas de course mais en zigzaguant et en affichant la mimique de celui qui cherche à éviter le faisceau lumineux.

Il arracha brusquement le microphone de son pied, tourna les talons et s'accroupit en petit bonhomme pendant que les musiciens entamaient en sourdine l'accompagnement d'une pièce que l'assistance reconnut aussitôt et applaudit.

— Ce fut son premier succès international, dit Manon.

— Ce fut même le premier succès québécois à l'étranger, rétorqua Guy.

— C'est tellement difficile à chanter que jamais personne n'a repris la chanson. C'est ça, une pièce géniale: à la fois populaire et inimitable, commenta la frêle jeune fille dont les yeux étaient rivés sur le chanteur.

La chanson avait l'aviation pour thème et son intro en crescendo dura une bonne minute. En même temps que les premières paroles, plusieurs puissants réflecteurs tournés vers le ciel s'allumèrent à la fois. Leurs faisceaux se croisaient à la recherche d'imaginaires avions: effet scénique inventé par un assistant de la vedette.

— Regardez, il y a des petits feux de joie partout sur le terrain. Nous devrions en allumer un nous aussi, suggéra Guy.

— Avec quoi allons-nous l'alimenter? demanda Jean.

— J'sais pas: nos caisses de cannettes...

— On vient à peine de les entamer.

— Depuis un bon moment déjà, Jean avait poussé plus avant la caresse qu'il avait entreprise dès la brunante. Dans un inlassable mouvement en boucle, du bout des doigts, il avait gratté avec une infinie douceur le dos de Mélanie. Il savait à quel point cette caresse la mettait hors d'elle-même et il le perçut encore ce soir-là à ses yeux brillants desquels émanait ce qui avait davantage l'air d'une hébétude heureuse que de béatitude. Ensuite il avait insinué sa main sous ses cheveux et lui avait longuement frotté la nuque et le lobe de l'oreille puis tout l'arrière du pavillon.

Et voilà que maintenant sa main furetait doucement entre les genoux dociles et sur les cuisses désirées.

La jeune fille avait senti poindre en son coeur la magnifique émotion du désir. Des forces irrésistibles s'étaient remises à se combattre en elle. L'envie de se refuser, de se replier sur elle-même, de retarder les choses avait voulu encore une fois heurter, pétrir son goût de s'abandonner totalement à la chaleur et à la tendresse de Jean.

Lorsqu'il eut glissé à son oreille: « Tu es belle; tu es merveilleusement belle. », elle cessa d'écouter Gadbois dont elle n'eût pas prévu manquer une seule minute de spectacle pourtant. Il y avait maintenant cette étrange folie qui lui coupait le souffle, cette onde sensuelle qui venait remuer langoureusement chaque muscle de sa chair. Une chair plus que consentante: une chair qui commence à s'impatienter.

Il est temps d'écouter ses sens devenus fiévreux et qui appellent, aspirent, agrippent. Son coeur fait corps avec ses sens et c'est divin: divinement voluptueux. La femme est enfin prête à recevoir l'homme. Elle se penche et glisse à son oreille:

— Nous partons?

Il interroge aussi:

— Tout de suite?

— Tout de suite.

— Sûrement! lui dit-il avant de confier Travol à René :

— Tu veux arrêter chez Mélanie pour me rendre le chien? Nous y serons aux environs de minuit...

L'autre acquiesça d'un geste amical.

Jean plia la couverture puis il entreprit un onéreux tricot entre les assistants en direction d'un escalier qui leur permettrait d'éviter une longue marche à travers la foule vers l'entrée de la cuvette.

Mais l'escalier était bondé et les gens n'avaient aucunement l'air de vouloir bouger d'une ligne.

— Va falloir sortir par là-bas, dit-il à sa compagne.

Depuis le départ de son maître, Travol n'avait pas cessé de tirer sur sa laisse, de donner des coups. Il l'avait fait discrètement, presque fémininement. Le noeud finit par céder et l'animal se libéra à l'insu même des amis de son maître entièrement pris par le magnétisme de Gadbois.

Le chien repéra une piste, la perdit, flaira, la retrouva, la perdit encore. Il y avait tant d'odeurs différentes. Et puis tous ces feux à éviter. Il courut nerveusement, guidé par son seul instinct. Il courut et courut. Pas loin d'un feu, dans un espace moins bondé, il s'arrêta pour renifler tout autour. Néant. Il reprit sa course mais n'eut pas le temps de faire trois pas qu'un violent coup à la nuque lui fit redresser le corps vers le ciel, ce ciel inquiétant. Il avait senti que la main d'un être humain s'était emparée de sa laisse mais qu'elle avait lâché prise à cause du coup. Alors il bondit aussitôt vers l'évasion. Mais quinze pas plus loin: nouveau choc. Cette fois, la main ne lâcha pas. Elle n'avait pourtant pas l'air bien puissante, cette poigne humaine à l'autre bout. L'animal tira de tout son petit corps, sentit petit à petit la résistance diminuer. Il commença à marcher péniblement, puis avec plus de facilité. La main n'avait pas lâché. On le suivait.

•

Fréquence 122.2 :

— À tous les pilotes. Objectif en vue. Tous feux éteints. Largage à cent mètres d'altitude à vitesse de deux cents kilomètres à l'heure. Je répète. Bolivar à lucky boys. Objectif en vue. Suivez papa. Allons planter nos choux à la mode de Radden. Largage à cent mètres d'altitude à vitesse de deux cents kilomètres à l'heure.

Le Centre de la Nature apparaissait dans toute sa splendeur et toute sa joie. Ici et là dansaient des petits feux et leur vue alluma des reflets vifs dans les yeux du colonel. Il pensa que dès le largage, l'incendie serait automatiquement déclenché à la grandeur de la cuvette. Le regard devint malicieux et froid quand il aperçut les faisceaux croisés en provenance de la scène. La promesse d'un traitement spécial lui vint à l'esprit et il tâta l'arme automatique qu'il tenait toujours de sa main gauche.

— Bolivar à lucky two et lucky three. Bolivar à lucky two et lucky three. En position. Je répète...

Le raid n'avait aucune chance de rater puisque le piège était parfait. De plus, chaque pilote avait déjà discrètement reconnu les lieux. C'était cela la différence d'avec l'Allemagne : l'absence totale de risques. Pas de D.C.A. Des appareils sûrs. Un objectif net, précis, déjà familier.

Les messages du colonel ne servaient qu'à synchroniser les phases de l'opération car chaque pilote connaissait les instructions qui étaient d'une simplicité totale. La tâche des deux premiers appareils était de bloquer les deux extrémités de la cuvette. L'un s'alignerait sur les lumières centrales ainsi que sur les escaliers de sortie. Son largage aurait pour effet de couper toute retraite vers le sud en même temps que de mettre le feu aux deux escaliers. Parallèlement, le deuxième appareil fermerait la passe du côté nord et du même coup empêcherait toute fuite par un escalier d'arrière-scène et bloquerait le chemin d'accès du côté ouest. Quinze secondes plus tard, une vague de quatre appareils viendraient couper perpendiculairement dans la direction sud-nord, dont deux longeraient les escarpements de chaque côté. Puis les trois derniers avions achèveraient le quadrillage dans un tracé parallèle à celui des deux premiers. La panique ferait le reste du travail et ce sont les gens eux-mêmes qui répandraient le feu dans les moindres recoins.

— Bolivar à lucky two et lucky three. À vous de jouer.

•

Curieux, je croyais qu'il y avait deux escaliers de ce côté-ci. Va falloir faire le tour par l'autre bout, avait dit Jean.

Les fêtards s'étaient fait de moins en moins drus à mesure que les jeunes gens avaient progressé vers la sortie. Leur marche avait donc pu s'accélérer, si bien que le temps de le dire, ils s'étaient rendus à la Camaro garée au fond du champ bordant la paroi rocheuse.

Gardant la couverture dans sa main, Jean prit Mélanie dans ses bras et lui fit appuyer le dos contre l'auto. En fait contre le coussin qu'était devenue la couverture. Leurs regards s'échangèrent de doux reflets. Qu'ils étaient prometteurs, ces yeux d'argent, pensa-t-il avec émotion. Elle passa doucement une main tremblante dans les cheveux en bataille de celui qui bientôt consacrerait définitivement sa féminité. La main glissa le long du cou, puis par devant jusqu'à l'échancrure de la chemise ouverte. Ses doigts naviguèrent gaiement dans le lit broussailleux de la poitrine mâle; puis elle les écarta afin d'appuyer fermement la paume de sa main.

— Je t'aime, Jean.

— Attends, on se le dira tantôt, dit-il en frottant le bout de son nez à celui de la jeune fille.

Le bruit des CL-215 maquillait maintenant les sons puissants créés par Gadbois, ses musiciens et leur équipement électronique.

— La musique est devenue énorme. On a bien fait de s'en aller. Parce que c'est dehors, ils se sentent obligés de mettre toute la gomme...

Jean avait parlé sans trop concentrer son oreille sur l'environnement sonore. Mélanie le lui fit remarquer par son objection:

— Regarde là-haut.

— Où ça?

— Là, au-dessus de la foule.

— Ah! L'hélicoptère?

— Sans doute CJMS.

— Je ne crois pas. J'ai plutôt l'impression que c'est la police. C'est leur manière de faire leur travail sans trop se forcer. Ils ont l'air de se ficher pas mal d'enterrer la musique.

À l'autre bout, le petit chien avait marché laborieusement entre deux cabanes puis s'était engagé dans la gorge, s'arrêtant ici et là pour mettre à l'affût son museau mouillé ou pour supplier de son regard bête l'enfant qui le tenait en laisse d'aller plus vite. En fait, tous les deux se donnaient de fréquents répits dans leur progression difficile à travers la rocaille et les hautes herbes.

•

Les deux appareils terminent leur spirale descendante et s'alignent à mille pieds l'un de l'autre, le premier sur les lumières centrales, le second sur les réflecteurs de scène. Et ils foncent dans un angle qui leur permettra de passer de deux cents mètres où ils sont à cent mètres d'altitude aux abords de la cuvette.

— ...Québecair, Trans World, Northern, Eastern, chante Gadbois. Mais le chanteur a tout à fait perdu sa concentration. Il y a cet hélicoptère aux pales flappantes et qui est descendu beaucoup trop bas. Il pense: « Qu'ils fichent donc leur camp, ces policiers! Quel besoin de service d'ordre peuvent donc avoir deux cent mille Québécois en fête? »

L'avion le plus au sud arrive à son point de largage. Les trappes s'ouvrent. Le mazout et l'essence tourbillonnent à gros jets tordus sous l'appareil; ils s'épousent dans une étreinte grotesque pour mieux s'atomiser ensuite. Les gouttelettes mixtes vont s'éparpiller sur une largeur de douze mètres et sur une distance de cent vingt-cinq mètres. Entre cinq et dix mille personnes seront aspergées du liquide inflammable. La cuvette sera coupée aux deux tiers et ceux qui auront choisi d'être les plus éloignés de l'estrade ne seront pas touchés par ce premier arrosage. Seuls à qui la chance en sera donnée: ils pourront s'enfuir.

L'autre appareil largue à son tour. Son nuage sombre descend lentement vers les nombreuses petites cabanes blanches situées à l'entrée de la gorge.

L'instinct de la foule se réveille subitement. Gadbois, qui a réagi quelques secondes avant tout le monde, perd l'attention de l'assistance; il ne cherchera plus à la retenir. Une multitude de têtes inquiètes se tournent vers les avions et surtout la traînée qui s'en échappe.

À peu près au même instant où les premières gouttelettes atteignent le sol, les appareils arrivent déjà aux trois quarts de leur distance à parcourir au-dessus de la cuvette. Les trappes se referment.

Les musiciens se sont arrêtés. La foule s'est tue. Seul le bruit des puissants moteurs des CL-215 fait concurrence à l'hélicoptère qui gravite toujours au même endroit et dont les occupants, deux agents en uniforme, sont autant sidérés que tous.

Dans l'escalier, un enfant s'extasie sous la chatouille fraîche qu'il sent sur ses bras et sur son visage tandis qu'un peu plus bas dans les marches, un homme se rend compte qu'il s'agit d'essence.

— Sortons de ce trou, hurle-t-il en tentant de monter. Mais il se bute à l'inertie des occupants de l'escalier et sa voix se perd dans les vrombissements des hélices.

Sur une corniche, tout juste derrière, un adolescent est penché au-dessus d'une flamme qu'il cherche à protéger de ce qu'il a pris comme la plupart pour de l'eau.

— Ah, les pas fins, ils vont faire mourir mon feu, rechigne-t-il.

Il achève à peine sa phrase que le rouge lui saute aux yeux. À la fraction de seconde, son regard cherche à droite, à gauche, devant: partout c'est le rouge. C'est le rouge universel, inexorable, implacable, et ça sent le roussi. Il se regarde les bras: ses bras brûlent. Comme un fou, il se met à tourner en rond pour se libérer de cette terreur désespérante qui vient d'envahir son âme et qui jaillit de sa bouche dans un épouvantable hurlement:

— Je brûle... Je brûle...

— Il se met à danser comme un pantin gauchement articulé, cherche à arracher la flamme de ses vêtements, émet une longue plainte frénétique. Tout est vain. Tout est inopérant. Ses pas désordonnés le mènent au bord de la corniche. Il perd pied mais un instinct lui fait projeter son centre de gravité sur l'autre.

Les yeux s'exorbitent, se révulsent. L'adolescent n'est plus qu'une hideuse torche humaine gesticulant maladroitement. L'autre pied perd son appui et c'est ainsi que les cinq secondes entre sa joie de vivre et sa mort affreuse prennent fin dans une chute silencieuse.

Une femme, prisonnière des mouvements de ceux qui l'entourent, reçoit tout le poids du corps sur le cou qui se casse sec.

Ni l'un ni l'autre n'ont ressenti la moindre souffrance physique; ils seront les plus fortunés de cette foule condamnée.

Le feu se propage de seconde en seconde. Pas à la vitesse de l'éclair mais bien trop vite pour que quiconque dont les vêtements ont été touchés par le combustible puisse y échapper.

Les mouvements de foule indiquent bien maintenant que les gens ont compris l'horreur de la situation et qu'il n'y a d'échappatoire que dans la fuite. Et ils fuient. Désespérement. Furieusement. Des milliers vers la gauche; des milliers vers la droite. Ils s'embrasent en voulant se repousser. Les nouvelles torches s'enfargent dans les corps tombés, tombent à leur tour, s'empêtrent, s'endiguent.

Le feu couvre près de six cents mètres carrés constituant une bande de douze mètres de largeur aux côtés de laquelle une démarcation s'est faite. Du côté sud, les gens s'enfuient dans tous les sens, laissent derrière eux des retardataires qui cherchent ou bien à comprendre béatement ou bien à sauver par quelque impossible miracle un parent ou un ami.

De l'autre côté, se passe la même chose, mais les fuyards s'arrêtent vite puisqu'un rideau de feu se lève devant eux, qui part de la rue en haut de l'escarpement, longe la route d'accès à la cuvette, coupe l'estrade de par sa moitié et enveloppe entièrement toute la région des petites cabanes. Moins de cent personnes ont été atteintes par le feu, mais la barrière de flammes fait réaliser à tous qu'ils sont pris dans une souricière. Alors se dessine un mouvement centrifuge stoppé dès sa naissance par l'apparition au-dessus des gens d'un autre appareil rugissant. Son passage crée un énorme remous. Des dizaines de personnes sont piétinées, d'autres étouffent, des milliers pleurent et crient.

À la dernière minute, Osborne a changé ses ordres. Le pilote de lucky three l'a mis au courant de la présence de l'hélicoptère et le colonel a tout de suite réagi :

— Bolivar à lucky four, five, six, seven. Tournez en rond autour de votre position. Canards en vue. Chasse ouverte. Retour dans trois minutes.

Puis il avait ordonné à Biggs :

— Par l'ouest afin qu'il soit dans ma mire !

— Poste central, ici Gariépy, dit l'agent d'un ton bizarre et exalté fort peu commun aux gens de la police.

— Ici poste central, parlez.

— Sommes au-dessus du Centre de la Nature. Des avions sont venus jeter de l'essence sur la foule...

— Ici poste central. Parlez plus lentement. Nous croyons que nous vous avons mal compris.

— Il y a du feu partout. Il y a des milliers de personnes qui brûlent. C'est épouvantable. Des avions citernes... J'en vois un autre. Il s'en vient droit sur nous. Duceppe, enlevons-nous d'ici...

Biggs a mis pleins gaz. Il a prévu de passer à trente mètres de l'hélicoptère. Et un peu au-dessus pour donner le maximum de mire à son chef.

Osborne a fait glisser la vitre et mis sa mitraillette en position. À genoux sur son siège, il tient l'arme d'une poigne d'acier. L'attente est brève mais fébrile, affolante. Dès qu'il a l'hélicoptère dans sa mire, il ouvre le feu. De si près, il ne peut pas rater sa cible.

La première rafale dessine un chapelet de trous dans le fibre de verre de la cabine, sans pour autant faire beaucoup de dommages. Aucun des deux agents n'est atteint et Gariépy a le temps de hurler dans son émetteur :

— Ils tirent sur nous. Ils tirent...

Le doigt du colonel a bougé une seconde fois. La rafale porte. Duceppe est frappé à l'omoplate et au côté. Sous le choc, il manipule brusquement les commandes puis les lâche. L'appareil s'emballe, pique du nez, se dirige vers la paroi rocheuse, s'y aplatit dans une explosion terrifiante.

Gariépy n'a rien vu puisqu'un projectile s'était logé dans son crâne à un pouce en haut de la tempe. Un peu de sang avait jailli du trou, mais c'avaient été surtout des bulles d'une sorte de broue blanchâtre qui s'étaient échappées en bouillonnant. La mort porta à son comble la morbidité de l'ironie en exigeant de son tributaire qu'il soit aussi décapité sous l'impact.

— Bolivar à lucky boys. Canard tombé. Lucky four, five, six, seven: en avant.

Biggs reprend position de manière à pouvoir tourner en rond au-dessus du Centre. De la sorte, son chef verrait mieux le déroulement de l'opération et pourrait intervenir en cas de besoin.

L'indescriptible fouillis dans lequel se meut la foule furieuse double d'envergure après l'écrasement de l'hélicoptère.

Gadbois a sauté devant l'estrade. Après l'explosion, l'incroyable sentiment d'impuissance qui avait enfermé son âme dans une enveloppe de béton saute. Mais c'est un poids doublement lourd qui lui chute sur les épaules: il se sent maintenant responsable du sauvetage de tous ces gens.

Un coup d'oeil circulaire lui permet d'évaluer la situation. Il faut stopper les gens, les discipliner, les saisir, les figer sur place car ce tournage en rond ne mène nulle part si ce n'est à la mort de centaines de malheureux, pour la plupart des enfants ou de très jeunes adolescents qui périssent étouffés par la monstrueuse cohue ou broyés par des milliers de pieds anonymes.

D'un bond, il se retrouve sur la scène et s'empare du microphone qu'il avait abandonné à terre quand la flamme avait coupé l'estrade. Alors il pense aux artistes dans la loge improvisée. Une loge qui n'avait même pas de toit. Il jette un bref coup d'oeil derrière puis se retourne vivement car la chaleur qu'il ressent au visage est épouvantable. Et puis il n'y a rien à voir de ce côté; c'est vers les vivants que ses regards doivent se porter.

Un bras au ciel dans une pose mosaïque, il hurle:

— Arrêtez-vous. Arrêtez-vous tous.

La voix porte. Le système de son n'est pas encore atteint par la flamme dans ses parties vitales. L'homme a l'air d'un géant, d'un Lucifer héroïque dont les yeux lancent des éclairs de détermination. Pour la première fois de sa vie, il prend pleinement conscience que les hommes ne peuvent pas être tous égaux. Il en faut qui soient au-dessus des autres pour tracer des marches à suivre, pour ordonner les choses, pour disposer des moyens d'action. Bien que d'une façon plutôt confuse, il avait toujours senti cette évidence, mais il l'avait rejetée dans un sombre et peu recommandable recoin du fond de son âme, emporté lui aussi par la vague d'égalitarisme qui déferle sur le monde occidental et au nom d'une grandeur d'âme désincarnée qu'il eût désiré avoir.

— Arrêtez-vous et arrêtez les autres autour de vous : c'est notre seule chance. À l'ordre, c'est notre seule chance. À l'ordre tout le monde. À l'ordre.

Quelques-uns obéissent. Puis d'autres. Puis plusieurs.

— Il nous faut foncer tous ensemble dans une seule direction, celle du chemin qu'il y a là à ma droite.

Depuis son dos, d'intolérables messages de douleur parviennent à son cerveau. Mais il doit les ignorer, leur désobéir, les museler...

— Je répète : arrêtez-vous tous et à mon signal...

Viennent de surgir au-dessus du rideau de feu du sud les quatre appareils se délestant de leur nuage mortel. Comme tout le monde, il ne les a pas vus venir, ne s'imaginant pas lui non plus que l'horreur puisse augmenter encore. Ils volent également distancés, deux d'entre eux longeant chacun une paroi rocheuse.

Dès leur largage effectué, les pilotes mettent pleins gaz pour ne pas risquer de se voir rattrapés par la flamme et c'est dans un rugissement d'enfer qu'ils survolent le gros de la foule.

La folie collective renaît et se décuple.

Gadbois est sidéré. Ses mains de plomb lui retombent le long du corps. L'atroce douleur de son dos qui brûle aiguillonne en son âme un dernier sursaut de volonté qui lui fait crier sa rage. Il rejette le microphone derrière et saute pour la deuxième fois en bas de l'estrade.

Un jeune homme aux yeux tristes lui dit d'une voix trop faible :

— Il faut la sauver : elle est enceinte.

Mais le chanteur n'a pu lire que le geste. Il y répond en secouant la tête en signe d'impuissance.

À mesure qu'ils touchent le sol et les corps, les rubans sombres et aux contours imprécis s'allument. Ceux qui ont compris se ruent vers les espaces étroits qu'il prévoient devoir rester libres d'incendie. D'autres, par milliers, voient avec horreur et désespoir leurs vêtements prendre feu. Il y en a qui s'accroupissent et meurent simplement, stoïquement. D'autres ont la chance d'aspirer de l'air brûlant : leurs poumons se désagrègent et ils trépassent en moins de soixante secondes dans un soupir rauque mais combien libérateur. La plupart courent éperdument dans toutes les directions. Des amoncellements de cadavres, véritables bûchers funéraires humains se forment partout. Les plus horribles sont ceux qui montent à vue d'oeil le long de l'escarpement. Ils sont légion ceux pour qui ces monticules macabres représentent l'ultime espoir d'échapper à l'enfer. Ils grimpent désespérément, s'agrippent en sanglotant, retombent inexorablement.

Le cas le plus pitoyable et effroyable est celui des enfants qui, pour empêcher leur visage de brûler, l'essuient avec leurs larmes et leurs petits poings fermés qu'ils vont mouiller dans leur bouche comme des chatons qui font leur toilette. Eux non plus ne comprennent pas le pourquoi de leurs gestes, mais encore moins la raison pour laquelle ils souffrent si horriblement. C'est eux qui connaissent l'agonie la plus atroce et le plus souvent, ils meurent debout avant que leur pauvre petit corps ne s'écroule tout doucement.

Dans l'un des corridors, se produit un rituel bizarre. Des centaines de personnes se sont agglutinées et sont protégées par un cordon d'hommes qui leur font dos. Lorsqu'une torche humaine se détache de l'incendie et s'approche d'eux en suppliant et en hurlant, l'un des membres du cordon lui applique son pied dans la poitrine et le repousse sauvagement. Ces gens-là ont compris que la seule loi de survie, c'est la loi du plus fort. Et ils l'appliquent sans merci avec la terrible énergie du désespoir.

En fait, il reste de l'espoir et c'est justement dans les corridors qu'il se trouve car s'il n'aura fallu que quelques secondes pour donner naissance à cette géhenne dantesque, l'incendie a l'air de vouloir épargner des milliers de personnes blotties les unes sur les autres au centre des couloirs dessinés par les semeurs de feu. Manon et Guy, Linda et René font partie de ceux-là, de même que Gadbois qui se sont tous pelotonnés au sein d'un groupe, collés à l'estrade, assis par terre.

Manon, les yeux effarés, le visage blême sous l'éclairage diabolique, crève de peur dans les bras de Guy qui tâche de la réconforter en lui murmurant des mots incohérents ou de peu de circonstance.

Côte à côte, Linda et René pleurent tranquillement, le visage tourné vers le sol. Ils se sont poussés un peu lorsque Gadbois a sauté devant eux: pour lui faire de la place. Et l'ignorer ensuite car Gadbois n'est plus pour eux qu'un homme comme les autres. Ils n'ont même pas remarqué que le chanteur avait perdu une partie de sa chevelure derrière la tête et que cela, à le voir par le côté, lui donne un air grotesque, comme si un grand coup de scie lui avait échanvré la tignasse. Pareil effet visuel dans d'autres circonstances eût provoqué le rire, mais dans cette fournaise il ne faisait qu'ajouter à l'horreur du tableau.

L'espérance que donne l'absence du feu en certains endroits n'est qu'un mince répit accordé aux malheureux. Les deux derniers appareils viennent abruptement y mettre un terme de la façon la plus cruelle qui puisse être: en réduisant des deux tiers la longueur des couloirs encore intacts par leur passage à angle droit par rapport aux précédents. Ainsi les rescapés de l'incendie grilleront à distance dans une agonie longue et désespérante. Eux atteindront le summum de la souffrance physique et morale.

L'écran sinistre s'est abattu en gouttelettes puis élevé en flammes à quelques pieds seulement devant Gadbois et son entourage. Quinze personnes, sept couples et l'artiste, sont prisonnières dans un espace restreint. Elles mourront inévitablement sous la morsure de la chaleur sans probablement que la flamme ne les touche. Quant aux centaines d'autres qui les entouraient, elles ont fui dans toutes les directions. La plupart d'entre elles ont toutefois été rattrapées par le feu et se consument à travers des hurlements pathétiques; les autres sont allées grossir les îlots de condamnés qui restent ici et là en attendant de se transformer à leur tour en moribonds ignifères.

Écrasé contre la tôle ondulée qui entoure la charpente de l'estrade, Gadbois ne se cache même pas la face comme le font tous les autres. Il garde les poings crispés et son visage se tuméfie horriblement.

Il pense: « Pourquoi la mort doit-elle être la minute la plus longue de cette chienne de vie? Qui a ben pu nous faire une blague pareille ? Il doit y avoir un vieux brûlot quelq'part qui ne nous aime pas plus que ça. Y'A UN COMPLOT LÀ-DESSOUS »

Et il fredonne mentalement : « J'sais pu où j'sus rendu. »

Même si ses yeux sont hagards, il bat des paupières pour les protéger car il veut voir jusqu'au dernier moment. Il a eu depuis son enfance la hantise de devenir aveugle et il ne le deviendrait pas trois minutes avant la fin.

Et sa pensée se remet à vagabonder :

« Les vieux brûlots qui sont derrière tout ça, eux autres, y connaissent ça, faire peur au monde. J'te pense qu'ils connaissent ça. Bon, ben quoi faire dans cinq minutes pour pas les perdre ? Quand même que j'voudrais penser à ma vie, j'ai pas l'temps. Quand même que j'voudrais penser à ceux que j'aime, ça va faire mal. Maudit que c'est pas drôle de s'ennuyer quand on brûle d'envie de faire quelque chose ! Tiens, j'pense que j'vas composer une chanson. Si j'sus pas inspiré là, quand est-ce que j'vas l'être. C'est maintenant ou jamais. Comment j'vas appeler ça ? J'vas appeler ça : Néron stoned. Ça va renifler là-dedans. Ça me fait penser qu'à renifler l'air qui nous entoure, on devrait être déjà morts depuis un bon moment... d'emphysème instantané. Ça veut dire qu'il nous vient d'lair de quelq'part. C'est d'lair chaud, mais c'est d'lair pareil. Ben sûr que ça vient de sous l'estrade... »

D'une voix si énorme qu'il la reconnaît mal lui-même, il beugle à ses voisins en se retournant vers la tôle :

— Cherchez un endroit où on peut s'pogner.

Il n'obtient ni collaboration ni même de réponse. Le concert des cris et des lamentations se poursuit. Il se penche à l'oreille de Guy Simard et vocifère :

— C'est pas le temps d'avoir les doigts dans l'nez. Cherche un trou où on pourra commencer d'arracher c'te maudite tôle. Grouille-toi ! Et passe le mot...

C'est René qui en tâtant sous la tôle trouvera un espace vide entre deux pièces de la structure de soutien de la scène. Il touche Guy et le lui fait comprendre par gestes. Celui-ci attire l'attention de Gadbois qui se précipite par-dessus les corps affalés. Rendu à l'endroit désigné, il hurle :

— Tassez-vous qu'on arrache ça !

Il joue énergiquement des coudes et réussit à s'arc-bouter, un genou à terre, une épaule contre la tôle.

— Viens m'aider, crie-t-il à Guy.

Les deux hommes passent chacun une main dans l'espace libre et tirent de toutes leurs forces. La tôle obéit, plie jusqu'au moment où la tension porte sur la rangées de clous verticales qui la retiennent.

— Encore, dit Gadbois.

Les clous résistent.

— Je vous aide, crie Manon. Elle s'assied vis-à-vis des mains qui forcent, prend appui des pieds de chaque côté de la ligne des clous et passe sa main entre les deux autres.

— Tous ensemble, dit Gadbois.

Les muscles se tendent. Manon qui n'en a pourtant que de minuscules, donne quand même un coup énorme. Les clous lâchent un peu, ce qui permet à René d'insinuer ses doigts derrière la tôle et à quelqu'un d'autre de faire de même du côté de Guy. Un autre effort et d'autres bras peuvent travailler aussi. L'on réussit à pratiquer une ouverture très petite car les morceaux de la structure de bois sont rapprochés les uns des autres. Sans poser de questions, Manon y plonge en se tortillant comme un poisson entre les mailles d'un filet. Son bras et sa cuisse se déchirent au passage sous la pointe des clous; mais elle avance résolument, rageusement, jusqu'au moment où elle se retrouve de l'autre côté, haletante, suffocante. Elle ne s'arrête pas, roule sur le dos et commence à donner de formidables ruades contre la tôle. En quelques secondes, une nouvelle brèche, plus grande celle-là, sera faite et les quinze personnes vont s'y engouffrer les unes après les autres. Héroïque, Gadbois ferme la marche. Ce n'est qu'une fois de l'autre côté qu'il se reproche ce geste qu'il trouve maintenant stupide et inconséquent, car pour sauver à la fois sa peau et celle des jeunes qui sont avec lui, il doit garder le maximum de chances de son côté. N'a-t-il pas été le seul à avoir fait preuve d'initiative? Les jeunes ne se sont-ils pas comportés comme du bétail dans un abattoir? Oh, cette frêle jeune fille a bien fait quelque chose, mais n'a-t-elle pas agi bien plus par instinct que par logique? À partir de ce moment, il se sauvera d'abord pour mieux sauver les autres ensuite.

Il fait noir sous la scène et l'air est suffocant. Ce qu'ils perdent en souffrance physique, ils le gagnent en souffrance morale. Se sentir claustré, enterré vif au fin fond d'une mer de feu désagrège une âme sans la tuer. Mais lorsqu'en plus, l'on sent son visage tout bouffi et qui fait abominablement souffrir, après avoir vu celui de quelqu'un, Gadbois, devenu effrayant de boursouflures énormes, alors la torture mentale décuple ses affres.

Voilà pourquoi le concert qui déchire l'air lourd en est un de lamentations tourmentées. C'est aussi pourquoi les réactions étranges deviennent monnaie courante. Lorsqu'ils sont condamnés à souffrir et à mourir, rares sont les humains sains de corps et d'esprit qui ne perdent pas la raison plusieurs fois pendant les dernières minutes. Leurs forces vitales provoquent en eux de la révolte. Incessamment, la douleur épuise les forces qui n'en finissent plus de renaître. Alors les gestes sont incohérents, témoins d'un combat inouï entre le plus et le moins, entre la vie et la mort.

— Il devrait exister des écoles pour montrer à mourir, marmonne Gadbois en progressant sur les coudes et les genoux vers les inquiétants puits de lumière aux lueurs blafardes de l'autre bout de l'estrade.

De chaque côté de lui, les corps tentent fébrilement de se rebâtir. L'artiste commence à les distinguer à mesure qu'il avance.

Une jeune fille fait tous les gestes d'une personne qui est en train de vomir, mais son estomac sans doute vide n'évacue rien du tout. Son compagnon se tient coi.

Le grand jeune homme qui l'a aidé à arracher la tôle est occupé à donner un baiser à la petite nerveuse aux jambes agressives; en même temps, il lui met la main sur la poitrine.

« Eux autres, ils ont pas eu besoin d'apprendre pour savoir comment mourir, » pense-t-il avec un sourire qui a plutôt l'apparence d'une grimace hideuse.

Les yeux remplis de larmes, Guy relève la tête et dit avant de reprendre son bouche à bouche :

— Elle meurt, elle meurt.

Gadbois s'arrête, a l'air de réfléchir, s'approche. Il couche sa tête sur la poitrine immobile, écoute. Le coeur est arrêté. Il remplace son oreille par son poing qu'il appuie fermement et auquel il donne une claque violente. Il répète trois fois son geste puis écoute. Rien. Nouvel essai : toujours rien. Guy n'a pas cessé de pratiquer la respiration artificielle. Gadbois fait une troisième tentative. Il colle son oreille...

Manon Léger n'est plus. Elle a atteint un maximum. Son corps fragile n'a pas réussi à neutraliser l'énorme somme de stress qu'il lui a fallu absorber. Le choc, la peur, la douleur, la suffocation ont effectué leur funeste travail.

— C'est fini, jette laconiquement l'artiste. Même si on la ranimait, elle ne serait plus qu'un légume. Son coeur est arrêté depuis trop longtemps.

Guy recule doucement, les yeux fous fixés au plafond. Gadbois prend machinalement les mains de l'adolescente pour les lui croiser sur la poitrine. L'une d'elles, la droite, est visqueuse...

Le chanteur essuie la sienne contre une pièce de bois puis se remet à ramper. Après quelques pieds, il s'arrête et se retourne :

— Viens t'en, mon gars, tu peux rien faire de mieux pour elle.

L'autre ne bouge pas.

— Hey, hurle-t-il, niaise pas là. C'est pas là que tu vas faire ton avenir. Viens...

Guy réagit enfin et s'aligne derrière Gadbois, laissant sa compagne reposer sur son lit de terre.

Un couple s'est couché face contre le sol. La jeune fille chantonne « La Vie en rose », tandis que son ami lutte contre une incontrôlable quinte de toux.

Un peu plus loin, une jeune fille dit :

— C'est toi Guy ? Est-ce que Manon est avec toi ?

Linda voit ses yeux embrouillés par les larmes, croit que c'est à cause de la fumée et rajoute :

— N'allez pas plus loin : l'air est de moins en moins respirable.

Gadbois soupire :

— C'est pas l'air, c'est sa petite amie qui est morte là-bas.

Linda penche tristement la tête, mais René, derrière, réagit fortement et dit d'un ton pathétique :

— Oh, mon Dieu, mon Dieu, mon Dieu ! Elle qui voulait tant vivre ! Qu'est-ce qui s'est passé ? A-t-elle beaucoup souffert ?...

Guy fait signe que non, mais René est trop loin pour voir.

— Même pas une minute, dit Gadbois. Elle a respiré un courant d'air brûlant et elle est morte dans quinze secondes.

Il suppose que c'est ce qui s'est passé et il se dit que le moment n'est pas aux longues explications et encore moins au masochisme. À l'autre bout de l'estrade, il y a peut-être du feu, mais il y a aussi une paroi rocheuse qui ne peut tout de même pas brûler, elle. Et puis, il y a aussi un escalier... qui, lui, ne doit plus être qu'un brasier. Qu'importe ! Il se remet en marche, tenant un pan de sa chemise devant sa bouche en guise de semblant de filtre.

L'air devient dangereusement brûlant. Il avance néanmoins. Mû par une force aussi énorme qu'insolite : il veut savoir. Devant lui, c'est l'ultime défi, le plus grand, le dernier: celui de voir s'il y a moyen de faire quelque chose.

À une douzaine de pieds du bord de l'estrade, vis-à-vis, croit-il, de ce creux dans la paroi, sorte d'encoignure assez prononcée qu'il a fixée dans sa mémoire lors du passage du premier avion, il s'arrête pour dire à son suiveur:

— Comment tu t'appelles?

— Guy Simard.

— Guy Simard, enlève mes souliers, ensuite mes bas. Puis tu me remettras mes chaussures dans les pieds. Envoye, envoye... grouille.

L'autre obéit. L'artiste tend la main:

— Donne-moi mes bas. Ça va sentir le pied, mais ça va protéger le plus bel ornement de mon visage: mon nez.

Il tente d'attacher les bas bout à bout mais n'y parvient pas. À deux reprises le noeud grossier qu'il a réussi à faire lâche. Alors il déboucle sa ceinture, l'arrache et s'en fait le tour du cou puis, d'un deuxième tour, la croise juste dessous son nez avant de la boucler avec peine en grommelant:

— Hostie, si j'avais plus de ventre, j'aurais pas de misère à faire le tour. Surtout avec la face comme je l'ai là. J'dois t'avoir une belle christ de face d'obèse.

À hauteur de son nez, il insère un bas derrière la bride.

— À c't'heure, j'espère que j'perdrai pas mes culottes, ça me mettrait le feu au cul, dit-il à travers son masque. Bon, là, j'm'en vas voir ce qui se passe dehors. Si je t'ai pas donné signe de vie dans soixante secondes, ça voudra dire qu'on se r'verra dans l'autre monde. Dans ce cas-là, le mieux qu't'auras à faire sera de t'coucher en pleine face à terre et d'attendre les pompiers. Ou ben, tu te feras cuire un oeuf. Salut!

Il rampe à une cadence folle, plonge entre les pattes d'un X en bois et disparaît derrière un rideau de flammes. Aussitôt de l'autre côté, il s'est mis à rouler jusqu'au moment où il a frappé la paroi rocheuse. Alors il s'est examiné pour voir s'il brûlait, a constaté que non, s'est relevé et regarde maintenant autour.

Le feu est à distance respectable et la chaleur est tolérable, mais ça ne pourra pas durer car lorsque la structure de bois de l'estrade brûlera, le brasier triplera d'intensité. Il faut donc sortir de ce damné trou. Impossible d'escalader une paroi aussi abrupte. Il regarde plus haut et voit l'escalier qui n'est atteint par le feu que dans sa moitié la plus basse. Dans les dernières marches, tout près de l'estrade, des cadavres sont en train de se carboniser. Ils ont l'air d'être cinq.

« Les artistes, » pense-t-il.

Comment atteindre la deuxième partie de l'escalier? La réponse vient vite dans sa tête.

— Trouve-moi un bâton, crie-t-il à Guy.

Quelques secondes plus tard, un bout de deux par trois glisse jusqu'à ses pieds. Il s'en empare, s'approche le plus qu'il peut de la scène, se sert du morceau de bois pour tenter de faire tomber à la renverse ses enceintes acoustiques empilées les unes sur les autres et dont une seule, celle du bas, est léchée par les flammes. La douleur le ré-expédie à la paroi. Il revient rageur en courant et donne un furieux coup de bâton à l'empilage. Et encore, et encore. Il abandonne.

— Lance-moi ta ceinture de pantalon ainsi que mon bas et crie à tous les autres de s'approcher: on va s'en sortir. Il a crié de façon à enterrer les vrombissements des avions particulièrement audibles en cet endroit-là en vertu de la configuration de l'escarpement.

Cette fois, Guy a réagi à la seconde et la ceinture grossièrement roulée à l'intérieur du bas vole aux pieds de l'artiste qui défait l'emballage, enfile le bas dans sa main gauche et retourne à l'empilage des caisses de résonance. Vif comme l'éclair, il enroule la ceinture en noeud coulant autour d'une poignée qui lui brûle les doigts malgré le bas. Il fait un nouveau voyage à la paroi pour quérir de l'air, revient, attrape le bout de la ceinture et donne un coup colossal. Les enceintes basculent vers l'arrière et s'écrasent juste à côté du chanteur qui a trouvé refuge le long de la muraille rocheuse et s'est débarrassé du bas noir qu'il a au visage.

Gadbois donne ensuite ses instructions à Guy pour faire sortir tout le monde de sous la scène. Onze personnes se retrouvent bientôt collées à la paroi. Le chanteur a l'impression qu'il en manque, mais il ne les a pas comptées. Il se fie donc au destin, ignorant qu'un couple est mort asphyxié à quelques pieds du corps de Manon.

Après avoir arraché les fils des caisses, avec l'aide de Guy, il reforme l'empilage vis-à-vis de la partie intacte de l'escalier en même temps qu'il explique ce qui va se passer:

— Toi, le grand, tu vas grimper sur les caisses et te tiendras debout en haut. Toi, le petit... comment tu t'appelles?

— René Lég...

— Le p'tit René, tu vas monter avec lui. Il va t'aider à te rendre sur le perron de l'escalier. Comment on va faire ça? Ça fait cent fois que vous le voyez au cinéma. On n'a pas l'temps d'répéter. Le porteur: un genou à terre, les mains en panier pour faire office d'étrier; le grimpeur: le pied à l'étrier. Toi, le p'tit, rendu en haut, tu vas donner la main aux suivants.

La manoeuvre réussit comme prévu. Gadbois à terre, agissant comme premier porteur; Guy sur les enceintes en tant que second porteur et René tout là-haut, sur le perron, pour donner la main. Le sauvetage de trois jeunes filles se fait puis c'est au tour de Linda de rejoindre Guy.

Dans le ciel, le colonel a vu ce qui se passe là. Il dit à Biggs:

— Tiens, la vermine qui s'échappe. Allons soigner les rats.

L'avion s'approche. Une rafale est tirée.

Les jambes fauchées par les projecticles, Guy s'écroule, entraînant dans sa chute Linda dont les mains n'ont pas pu toucher celles de René une dernière fois. Elle s'écrase dans les flammes. Dans les quelques secondes de sa brève agonie, elle perçoit confusément quelque chose qui bouge au creux de son ventre...

Gadbois, lui, reçoit en pleine gorge une balle qui lui arrache les cordes vocales et lui crève la veine jugulaire. Le sang gicle en un jet saccadé gros comme le pouce. Il porte la main à son cou et tandis qu'il regarde l'avion passer, un flot monte à la bouche. La fraction de seconde qu'il le retient, ses joues gonflent encore plus derrière la sangle qui les entoure. Alors, dans un geste ultime, il crache vers ses assassins des millions de gouttelettes écarlates avant de s'écrouler gauchement comme un acteur mal équarri d'un film western terne.

René Léger est resté debout, le long de la rampe, la main tendue... Et vide. Tout comme ses yeux.

Moins de quinze minutes se sont écoulées depuis l'arrivée des avions.

Mélanie et Jean ont vu en spectateurs impuissants et pétrifiés des scènes d'enfer. Un homme ayant réussi à se libérer de l'escalier de l'est est apparu en haut de la cuvette, les vêtements enflammés, et s'est écrasé aux pieds de Jean qui l'a aussitôt enveloppé de la couverture qu'il avait gardée entre ses mains en s'approchant du gouffre.

Le feu mourut et l'homme reprit ses esprits... momentanément. Il regarda ses mains: elles ressemblaient à du charbon. De la fumée se dégageait de ses vêtements noircis. Visiblement aux prises avec d'atroces douleurs aux bras, il tira sur les lambeaux de sa chemise qui traînèrent de larges portions de peau grise sous lesquelles des plaies rouges se mirent à suinter. Il se fit la même chose aux cuisses et à la poitrine.

Alors ses yeux se tournèrent vers Mélanie et Jean pour appeler à l'aide. Devant leurs regards horrifiés, il comprit ce que devait être sa tête. Il ne lui restait plus que quelques touffes de cheveux grillés. Plus de cils ni de sourcils. Un visage oedémateux, brun comme du sang cuit. Des oreilles déformées, fondues.

Il ramassa alors toutes les énergies qui lui restaient encore pour se lever et se mettre à courir. Puis en émettant un effroyable rugissement, il se rua dans la cuvette.

Ils virent aussi un groupe de personnes qui, dans l'espoir d'éviter que leurs vêtements ne s'enflamment, les ont enlevés et se sont mises à se rouler par terre dans la sordide et involontaire parodie d'une orgie monstrueuse.

Il n'oublieraient pas non plus cette femme qui n'avait pas l'air de s'intéresser le moins du monde à ses brûlures. Elle arrêtait tous ceux qu'elle pouvait pour leur demander quelque chose, mais personne n'avait l'air de la comprendre ou de l'éclairer.

Ils n'entendaient pas la question qu'elle posait inlassablement :

— Vous avez vu un petit garçon de cinq ans? Il s'appelle François Wilson. Vous avez vu...

Il n'ont pas vu non plus cette autre femme dans la rue, là-bas, de l'autre côté de la cuvette, et qui s'arrache les cheveux en criant de détresse. Deux de ses enfants sont en bas. Elle marche de long en large en se tordant les bras et ne s'arrêtera qu'au moment où elle verra venir vers elle un chien suivi d'un garçonnet.

Alors son cerveau craque. Son visage désespéré s'éclaire, se transforme et c'est avec un sourire de miel qu'elle aborde le petit :

— Bonjour Mario, tu viens avec maman?

L'enfant la regarde, décontenancé, et balbutie :

— Je ne m'appelle pas Mario, moi.

— Bien sûr que tu t'appelles Mario, insiste-t-elle.

L'enfant fait signe que non en disant :

— Je m'appelle François Wilson. C'est ça mon nom : François Wilson.

Elle lui prend la main et dit :

— Tu aimerais t'amuser avec un beau train électrique et manger du gâteau avec beaucoup de crème glacée ?

Le bambin esquisse un oui hésitant.

— Alors il faudra jouer à un beau jeu intéressant ; tu vas m'appeler maman et moi, je vais t'appeler Mario. Tu veux ? Il est beau, le train. Et il va vite. Et tu pourras le faire avancer toi-même. Tu viens ?

— Oui madame.

— N'oublie pas notre jeu : tu dois m'appeler maman et moi, je t'appelle Mario... Mario Lavigne.

— Oui madame.

Et la femme entraîne l'enfant et le chien vers une maison de la rue voisine : chez elle.

•

Aussitôt après sa dernière charge à coups de mitraillette, Osborne a donné l'ordre aux pilotes de recréer la formation en V derrière lui et, tous feux éteints, les appareils ont repris le chemin de St-Eustache via un crochet par le sud tel que prévu.

En bas, dans les rues de la ville, depuis toutes les directions convergent vers le Centre de la Nature des véhicules à feux rouges intermittents.

Wilson a occupé ses dix premières minutes d'attente à marcher de long en large à côté des Cadillac, nerveusement, l'oeil inquiet sous les reflets pâles d'un réverbère éloigné.

Le géant s'est assis au volant d'une des voitures et il est resté là, sans bouger d'un centimètre, ce qui a contribué à augmenter la tension chez l'autre.

Pour calmer un peu ses nerfs, Wilson pense à une thérapie qui a fait ses preuves depuis un mois: il fouille dans sa poche, sort son livret de banque — en fait, il s'agit d'un livret de caisse populaire, — le palpe avec satisfaction avant de l'ouvrir à la page des écritures. Il cherche à lire le dernier montant, plisse les yeux, lève le bras en l'air, distingue mal les chiffres. Qu'importe! Il connaît le solde par coeur pour l'avoir lu des dizaines de fois: quarante-neuf mille huit cent cinquante.

Le relâchement de la tension lui donne le goût de s'étendre. Il pense au capot de la Cadillac puis se ravise. Le géant ne parlerait pas puisqu'ils ont l'ordre de ne communiquer sous aucun prétexte. Mais après tout, une Cadillac, c'est une Cadillac.

Alors il déploie son sac de couchage et s'y allonge. Et il recouvre ses yeux du livret de caisse ouvert.

•

Après s'être posé des questions aux fins de savoir s'il serait plus dangereux d'empirer les choses en arrosant puisqu'il s'agissait d'un incendie alimenté par un accélérant, les pompiers ont décidé de tenter l'expérience avec une seule lance. Le résultat ayant été concluant, des dizaines de sapeurs, de tous les côtés de la cuvette, ont lâché l'eau. Il y eut un problème d'accélération en deux endroits seulement et ce fut à une échelle réduite. En moins de cinq minutes, toute flamme avait disparu, ne laissant derrière elle dans les coins que les réflecteurs des camions à incendie n'éclairaient pas encore que du noir ou de la pénombre lugubre, et partout que terreur ou mort.

Depuis le charnier s'exaltent plaintes et gémissements ainsi que cette odeur écoeurante de chair humaine brûlée qui va torturer les estomacs les plus solides.

Les policiers ont afflué, parlent aux gens, interrogent, cherchent des suspects... empêchent les curieux de s'approcher plus loin qu'aux premières lignes de cadavres.

Les survivants ne bougent pas beaucoup. Soit qu'ils agonisent, soit qu'ils cherchent de l'eau pour asperger leurs brûlures, soit qu'ils expriment encore faiblement le sentiment qui les a guidés au cours du carnage, soit qu'ils rient d'eux-mêmes, se croyant victimes d'une hallucination cauchemardesque. Chacun vit pour soi. Pas de gestes d'altruisme comme au cinéma. Les blessés ne sont pas réconfortés puisque tous sont des blessés et ne pensent qu'à leurs propres plaies. Les enfants qui pleurent ne sont pas consolés puisque la plupart pleurent ou bien l'on fait. Pas d'apaisement prodigué à ceux qui vivent l'horreur d'une éventuelle défiguration car chaque visage est empreint de sa part d'angoisse.

Mélanie et Jean veulent traverser le cordon des policiers, aller à la recherche de leurs amis.

— Seulement les ambulanciers ont droit de passer, leur dit-on.

Entretemps à St-Eustache, le géant a consulté sa montre, mis l'auto en marche et s'en est allé allumer les lanternes aux quatre coins de la piste.

Quand il est revenu, il a été apostrophé par Wilson :

— Ce n'est pas le temps: il n'est pas encore vingt-deux heures et les appareils ne reviendront pas avant plus d'une heure.

L'autre a répondu par un geste vers le ciel. Wilson n'y voyait rien, mais il a entendu le bourdonnement grandissant du groupe d'avions.

Ce fut bientôt l'atterrissage. Les appareils ont été laissés au bout de la piste, sans ordre, et les pilotes ont regagné les Cadillac. Sauf Osborne...

Lorsqu'il a vu le colonel descendre avec la mitraillette au poing, Wilson a senti qu'il avait été le jouet d'une monstrueuse machination. En l'espace d'un éclair, des idées se sont recoupés dans sa tête et des images se sont superposées. L'incognito, les gros montants d'argent, le climat politique, l'essence, le retour imprévu des avions, le géant muet resté sur place, tous ces mystères autour de cette histoire rocambolesque d'espionnage industriel... Pourquoi cette opération en plein dimanche... jour de la fête de la Saint-Jean en plus... Pourquoi de l'essence? Pour du feu. Le feu, le feu, le feu... La Saint-Jean. La fête de la Saint-Jean. Le feu de la Saint-Jean.

« Oh, mon Dieu, non! Se pourrait-il que?... Oh, non! C'est encore mon imagination qui fait des siennes. L'essence, le feu, la Saint-Jean. Mais où?... Les deux cents dollars pour envoyer François à la Saint-Jean... François qui a vu le visage de l'homme. Impossible... Mais pourquoi a-t-il voulu cette promesse d'envoyer François à la Saint-Jean? Il est même revenu à la charge hier pour savoir si je tiendrais cette promesse... »

Wilson s'était mis à geindre et à secouer la tête en regardant venir son homonyme. Quitte à égorger cet homme, il saurait la vérité. Les yeux vitreux, il vint à la rencontre de l'autre et lui demanda durement :

— D'où venez-vous avec ces appareils?

— Nous sommes allés fêter la Saint-Jean, dit le colonel avec un rictus au coin des lèvres.

— Ce qui signifie?

— Belle nuit, n'est-ce pas, Monsieur Wilson? On est bien dehors...

— Ce qui signifie? cria l'autre.

— Votre travail est terminé. Votre argent est gagné. Vous pouvez partir...

Wilson s'approcha du colonel et lui mit la main sur un bras. Il serra à tout casser.

— Ce qui signifie? vociféra-t-il encore.

Biggs qui passait demanda:

— Besoin de quelque chose, colonel?

— De rien, répondit Osborne. Et il dit à Wilson:

— Je n'ai pas le temps de vous donner une longue réponse. Disons en bref qu'en une seule bataille, nous avons gagné la guerre contre les rebelles de votre peuple...

— L'essence, c'était pour tuer des gens?

— C'était pour combattre les rebelles séparatistes...

— Où avez-vous jeté cette essence?...

— Sur le Centre de la Nature à Laval... Au fait, j'y pense, je crois que votre fils était là ce soir, n'est-ce pas?

Pris d'une rage folle, Wilson saisit le colonel à la gorge, mais il reçut aussitôt un violent coup sous les bras et dut lâcher prise. Osborne l'avait frappé de sa mitraillette puis il avait fait un saut de côté.

Wilson ramassa toutes ses énergies et bondit comme une bête fauve. Il entendit un claquement sec et en même temps reçut en pleine poitrine le coup de poing d'un géant. Il s'écroula, le corps plié en deux, les bras croisés sur l'estomac. Il vit le ciel, la nuit... noire... si noire.

Osborne n'avait tiré qu'une balle. Il jeta son arme près du corps et retourna à sa voiture.

Les Cadillac quittèrent tranquillement les lieux.

Alertés, des policiers arrivèrent à l'aéroport une quinzaine de minutes plus tard. Forts des explications du gardien, ils comprirent aussitôt que le raid sur le Centre de la Nature avait été fait à l'aide de ces appareils et quand ils eurent trouvé Wilson encore vivant, ils le questionnèrent avant qu'il ne meure.

— Qui êtes-vous?

Wilson tenta de sourire à travers ses gémissements. Il réussit à dire péniblement:

— Je suis Judas... Judas Iscariote...

— Qui sont ceux qui ont utilisé ces avions?

— Des Romains...

— Il nous faudrait une meilleure réponse...

— Alors des... Allemands... des Nazis...

— Répondez-nous la vérité... Faites vite avant qu'il ne soit trop tard.

— Des Anglais, dit-il d'une voix complètement éteinte. Des Ang... Le mot était mort avec lui.

•

Le 25 juin

— Mesdames, mesdemoiselles, messieurs, le premier ministre du Canada va maintenant prendre la parole...

Il était midi.

Depuis le matin, à travers les reportages sur les événements de la veille, tous les média électroniques annonçaient que les chefs des gouvernements du pays et de la province s'adresseraient à la population l'un après l'autre entre midi et treize heures.

Cette fois, pas seulement le peuple du Québec ou celui du Canada, ni même que des seules grandes nations occidentales prêteraient l'oreille aux deux Québécois, mais l'humanité tout entière serait aux écoutes car les diverses presses de tous les pays avaient braqué leurs objectifs sur l'affaire de Laval: le plus grand assassinat collectif de tous les temps.

Le visage du politicien reflétait l'horreur de la tragédie. Il parla sans voix, comme s'il était devenu un vieil homme au bord du tombeau:

— Quels mots employer pour dire ce que tous nous ressentons aujourd'hui? Avec des millions d'hommes et de femmes de cette planète, je pleure la disparition de tous ces innocents et j'offre à leurs familles mes condoléances.

L'impensable est arrivé. Cette attaque d'une perfidie monstreuse dont des milliers des nôtres, peut-être plus de cent mille, ont été victimes la nuit dernière, est le mépris total de la démocratie, de tout sentiment humain, de la vie. Rôdaient en liberté des bêtes fauves à intelligence humaine, ce qui les rendait des milliers de fois plus dangereuses puisque leur rage démentielle s'alliait, semble-t-il, à des moyens d'action importants. Elles ont frappé notre race au cœur; elles ont frappé l'humanité dans sa dignité. Lorsque l'enfer des camps de concentration nazis fut découvert, des millions d'hommes ont ressenti de la honte à être simplement des hommes et je pense qu'aujourd'hui, ce sentiment doit être universel.

Il se serait passé ce qui suit. Les responsables du raid qui a causé l'hécatombe de cette nuit ont utilisé des avions de la société Canadair pour perpétrer leur crime. Ces appareils avaient été loués par une personne interposée dont le cadavre fut retrouvé à l'aéroport de St-Eustache, à quelques pieds des avions en question. L'on ne sait rien de plus.

Qui donc a asséné ce coup sauvage aux Québécois, aux Canadiens, à la race humaine? Pourquoi une action aussi abominable? Dans quel but? Toute spéculation en vue d'établir des semblants de réponse ne pourrait que contenir des mauvaises graines: graines de violence ou de haine sourde.

Ce qu'il nous fait tous faire aujourd'hui et demain, et là je parle comme simple citoyen, c'est d'attendre, de laisser le temps guérir un peu nos plaies. Comment agir autrement? Quoi faire d'autre? Crier vengeance? Voilà qui serait jouer le jeu même des assassins. Laisser la peur s'insinuer dans nos esprits? Il est clair que les terroristes malades qui ont fomenté cette machination horrible ont voulu effrayer la population québécoise deux jours avant qu'elle n'ait posé un acte important quant à son avenir politique.

L'intégrité du Canada: oui. Mais pas à un tel prix. Je me suis toujours fait un défenseur de l'unité canadienne. Et c'est là une cause juste. Mon collègue, le premier ministre du Québec, défendait pour sa part une cause tout aussi juste, celle de la souveraineté de sa province. Les forces regroupées autour de chacune des deux bannières se livraient une lutte certes, mais une lutte qu'un grand peuple civilisé avait placée sous la gouverne éminemment humanitaire de l'esprit démocratique. Demain devait se terminer une page difficile de notre histoire; difficile mais combien exemplaire pour toutes les nations de la terre. Mises à part quelques actions tout à fait marginales de gens qui n'étaient rien d'autre que des illuminés exaltés, inéluctables sous-produits de notre temps, nous étions à la veille de clore une âpre mais sereine discussion. Des êtres atteints d'une rage animale ont voulu mettre leur ordre barbare dans les règles du jeu démocratique. Les peuples de ce pays devront être plus forts qu'eux et montrer à la face de la terre que la liberté sur laquelle se fonde notre système politico-économique n'en est pas atteinte.

Certains ont peut-être déjà commencé à formuler des accusations. Pour celui-ci, le gouvernement fédéral n'aurait pas dû fabriquer d'avions citernes. Ou d'avions tout simplement. Pour d'autres, c'est le mouvement souverainiste qui sera la cause profonde de la tragédie. Pour quelqu'un d'autre, la police n'aura pas fait son travail. Certains pointeront du doigt vers l'extrême-gauche, d'autres vers l'extrême-droite. En ces heures terribles où les passions atteignent leur paroxysme, ces accusateurs publics, ces justiciers borgnes me paraissent tout aussi dangereux que les criminels aveugles qui ont assassiné tant des nôtres, car si l'on peut présumer que ceux-ci ont terminé leur infernal travail, l'on peut craindre que ceux-là ne fassent que commencer le leur.

Je lance donc un appel à tous les Canadiens et leur demande d'entendre ce message, de l'accueillir, d'y réfléchir. Il n'y a qu'une seule réponse que nous puissions donner à ce déferlement de haine et c'est celle de l'amour. Malgré toutes nos divergences, malgré toutes nos douleurs, malgré la révolte qui se réveille au fond de nos âmes, soyons unis dans l'amour les uns des autres. Je ne veux pas vous parler d'unité politique ou économique ou d'un autre ordre en réalité aussi inférieur, je veux suggérer à tous les citoyens de ce pays d'être unis dans la fraternité: voilà la seule union valable et souhaitable et qui puisse répondre efficacement à la violence et à la folie de certains.

Aux citoyens du Québec, je demande de ne pas changer leur intention de vote au dernier tour du scrutin qui aura lieu demain ou plus tard selon les décisions du gouvernement québécois car c'est précisément cela qu'ont voulu les auteurs du crime d'hier soir: détruire l'âme du peuple Canadien français, l'empêcher d'exprimer librement ses désirs. Je continue évidemment de soutenir l'option du fédéralisme renouvelé et malgré les nettes tendances des Québécois vers l'option rapatriement-délégation, je dis: gardez l'idée que vous aviez en tête car l'unité d'un pays ne doit pas se sauvegarder par le chantage et au prix du sang.

La collectivité a le devoir de se protéger contre ceux qui l'attaquent et c'est pourquoi le gouvernement mettra tout en oeuvre pour découvrir les coupables et les mettre hors d'état de nuire.

Et en tant qu'individus, tâchons de ne garder en tête que deux objectifs: la liberté et la fraternité.

•

Quelques secondes plus tard, le premier ministre du Québec apparut sur les écrans de télévision.

Sa main tremblait. Il avait le visage livide et les yeux perdus. Il mit son autre main sous le revers de son veston et chercha à circonscrire la douleur cuisante qui avait sensiblement augmenté ces dernières heures. Ses doigts perçurent un rythme dicrote.

— C'est avec une douleur indicible que je pense à cette chose sans nom qui nous est arrivée à tous hier soir. Aujourd'hui, j'ai peur et je prie. J'ai peur quand je pense que des psychotaphes monstrueux peuvent utiliser des choses bonnes en elles-mêmes et en faire des machines ou des justifications à tueries. Je prie pour que les progrès de la technologie et de la pensée humaine ne continuent pas de s'accompagner d'effets secondaires négatifs à leur mesure.

Qui eût pu prévoir qu'un objet aussi inoffensif qu'un avion citerne, servant habituellement des causes humanitaires, puisse devenir semeur de mort? De même, qui eût pu prédire que les aspirations légitimes de notre peuple puissent un jour déclencher en des cerveaux détraqués un mécanisme destructeur aussi diabolique?...

Sauf les assassins, personne n'est coupable bien entendu et pourtant, chacun, malgré soi, en son for intérieur, se sent responsable des événements. Mon collègue tout à l'heure l'a exprimé dans ses mots et dans ma bouche, ça se traduit ainsi: l'indépendance, oui, mais pas au prix de tout ce sang versé. Car s'il semble de plus en plus de par le monde que la vie humaine perde de sa valeur, nous la respectons de plus en plus. Faudrait pas oublier que le peuple québécois est historiquement et psychologiquement l'un des plus paisibles de la terre, sang latin tant qu'on voudra. Puis je me demande si c'est pour ça qu'on s'est tant fait tuer des nôtres de façon aussi injuste et inutile. Chaque fois qu'on s'est levé la tête pour réclamer notre dû, on s'est fait assommer d'une manière sauvage. Qu'on pense à la gang à Papineau ! Et à celle de Riel ! Et surtout à la nôtre... Parce que le moins qu'on puisse dire aujourd'hui, c'est que l'histoire ne nous oublie pas, nous autres non plus.

Ça pas fait quand on a levé la tête, mais ce qui est curieux, c'est que quand on l'a tenue baissée au-dessus de nos raies de labour puis de nos encoches aux arbres, ç'a pas marché non plus parce qu'à tout bout d'champ, on venait nous chercher et puis on nous enlevait nos faux et nos haches pour les remplacer par des fusils afin de nous envoyer faire une chose qu'on n'a jamais comprise et qui s'appelle la guerre.

C'est évident que si on avait pensé une minute que dans un monde supposément civilisé on puisse se faire organiser une sorte d'Hiroshima juste parce qu'on a voulu relever la tête, on aurait patienté encore un bon vingt-cinq ans.

C'est à ça qu'il va falloir réfléchir durant l'été parce que bien sûr, on ne tiendra pas un dernier tour de scrutin dans les circonstances actuelles. On va le reporter vraisemblablement vers le quatre septembre.

Donc on va y penser. Y'a à peu près personne au Québec, pas plus que la collectivité elle-même, qui a la force puis le goût de se battre de cette manière-là.

Mon collègue du fédéral disait il y a quelques minutes qu'il faudrait pas que les Québécois changent leur intention de vote même s'il était à peu près certain que le dernier tour sonne le glas du fédéralisme. Je ne suis pas d'accord avec ce conseil. Bon, j'ai eu beau avoir travaillé une bonne partie de ma vie et avec une bonne partie de mes forces à cette cause de l'indépendance politique du Québec, j'ai beau sentir en ce moment que je me renie moi-même et que je renie les aspirations légitimes de mon peuple, je n'en dis pas moins qu'il y aurait lieu de penser à mettre le grand rêve de côté pour un bout de temps encore. Et puis, j'dis ça pour la plus simple et la plus effroyable des raisons : les cent mille cadavres carbonisés qui gisent dans la cuvette de Laval. Et puis aussi pour éviter qu'un seul autre des nôtres paye de sa vie cette injuste rançon de notre liberté nationale.

On va s'y prendre autrement, tranquillement, petit à petit, et puis on va tâcher de convaincre tout le peuple canadien de nous laisser vivre... à notre manière à nous. Ça va être long, mais c'est faisable. Puis quand l'idée aura fait son chemin partout au Canada et qu'un référendum national le démontrera, alors on pourra relever définitivement la tête.

Tant que cette chose-là ne sera pas faite, il y aura des risques de voir des gens malades pousser à l'extrême, comme hier, leurs convictions, se croyant forts de l'appui inavoué d'une certaine opinion populaire, autre lubie née de leur délire immonde.

Quant à moi, au dernier tour de scrutin, vers le quatre septembre je le répète, si je suis encore de ce monde parfois si affligeant, je voterai pour le fédéralisme renouvelé. Peut-être pas de gaieté de cœur, mais je le ferai quand même.

Québécoises, Québécois, en cette journée la plus tragique de notre histoire et de notre vie à tous, je dis : retournons à nos charrues !

•

Notre-Dame-des-Bois, le 4 septembre

Presqu'au même moment où sur les hauteurs de La Patrie, ils aperçurent la flèche de l'église à leurs pieds, un petit point brillant tout là-haut, sur la montagne, vint chercher leurs yeux. C'était le dôme étincelant de l'Observatoire du mont Mégantic.

L'auto blanche s'immergea dans le petit village qui n'était pas le seul à montrer un visage paisible en cette journée de référendum puisque tout le long de leur parcours, Mélanie et Jean avaient respiré un air de dimanche.

Chacun de son côté s'était rendu voter au cours de l'avant-midi, puis ils avaient pris la route pour aller dans les Cantons de l'Est.

Depuis son enfance, Mélanie s'était rendue bien souvent dans ce petit paradis de la nature noyé dans les Appalaches, oublié par la laideur et la pollution, où les nuits sont noires et les journées belles : Notre-Dame-des-Bois.

Chaque année, deux ou trois fois, avec ses parents, ses oncles et ses tantes, ils avaient escaladé la montagne afin d'assister à une messe, de participer à une dévotion particulière. Ç'avait été l'époque des pèlerinages et des chemins de croix.

Autres temps, autres moeurs: utilisée pendant des décades pour faire croire, la montagne l'était maintenant pour faire comprendre.

En fait, il y a là deux montagnes parallèles. Devant: — selon le point de vue où l'on se place — coiffé de sa petite chapelle vétuste, le mont St-Joseph dédié au culte il y a bien longtemps et maintenant presque abandonné aux sparages d'une secte religieuse figée dans le temps. Derrière: le mont Mégantic. Plus élevé et pourtant plus accessible, sorte de témoin de l'avenir au faîte couronné d'un astrodôme contenant des instruments à la fine pointe de l'actualité scientifique.

Jean était peu loquace. Il y avait bien ces travaux de construction sur la route et qui requéraient une bonne partie de son attention, mais surtout, il réfléchissait à ces incroyables événements survenus ces derniers mois. Le massacre de la Saint-Jean tristement célèbre à travers le monde. L'impuissance des corps policiers à résoudre ce mystère de plus en plus opaque. L'absence totale de réactions apparentes chez le peuple du Québec: sauf les cadavres identifiables remis à leurs familles, on avait enterré les morts sur place, les recouvrant d'une dizaine de pieds de terre. Le Centre de la Nature avait été simplement rebaptisé Centre du Souvenir. On avait annoncé un bilan des victimes avoisinant les quatre-vingt-sept mille. Et point final. L'âme québécoise s'était pelotonnée sur elle-même: comme pour un siècle.

Le premier ministre du Canada avait démissionné de son poste et quitté le pays pour aller rejoindre le cardinal Léger en Afrique afin de le seconder dans son travail auprès des lépreux. Quant à celui du Québec, il avait dû être hospitalisé en pleine canicule et voilà maintenant qu'il agonisait d'un cancer pulmonaire, faisant mentir de justesse son étrange prémonition du vingt-cinq juin.

À peu près personne n'avait parlé de référendum depuis juin. Il n'y avait eu ni déclarations, ni prises de position d'hommes publics, ni cabale. Pour la première fois un peuple de la terre avait pu réfléchir sereinement une question d'ordre politique. C'est l'une des raisons pour lesquelles l'on disait partout et particulièrement dans les presses étrangères que la décision du quatre septembre serait la bonne pour les Québécois... quelle qu'elle soit.

Aucune maison de sondage n'avait risqué pousser l'indécence jusqu'à publier des résultats d'enquêtes. Aucun journaliste n'avait osé faire des extrapolations et les éditorialistes s'étaient montrés d'une discrétion très grande. Malgré les appels contradictoires des premiers ministres, il était quand même apparu, surtout après le départ des deux hommes, que les gens avaient repensé leur thèse personnelle quant à l'avenir du Québec, l'avaient pondérée de nombreuses nuances et, pour plusieurs, modifiée. Mais ils l'avaient fait avec une telle circonspection et le silence des experts de l'opinion publique avait été si total que personne au monde n'aurait pu savoir en ce matin clair de septembre quelle opinion la majorité des citoyens choisiraient.

Jean avait remué en son esprit des dizaines et des dizaines d'arguments d'un côté et de l'autre, mais il n'avait réussi qu'à donner plus de fermeté à sa décision prise à la suite du massacre de la Saint-Jean. Au troisième tour, il voterait sans émotion mais avec conviction. Et c'est ce qui s'était produit ce matin-là. Et personne ne connaîtrait son choix ni ses motifs.

Il tricotait depuis un bon moment parmi les plaies fécondes de la route, ces ornières dont les désagréments n'avaient d'égal que leur engagement à disparaître, enterrées sous un épais manteau de gravier puis d'une chaude pelisse bitumineuse.

Mélanie buvait aux cent automnes qui se baladaient sous son regard pétillant. Mais elle ne détaillait pas leur beauté fragile. C'est d'une montagne à l'autre que se balançait son âme heureuse, joyeusement tiraillée par les promesses de la coupole d'argent et les souvenirs merveilleux des dimanches pieux de son enfance.

Ils n'iraient pas sur la montagne St-Joseph car la route d'accès ne le permettait plus, au dire de sa tante au téléphone. Mais cela vaudrait sans doute mieux car elle savait que la mémoire est bien plus habile à embellir le passé que les choses, généralement décevantes à cet égard.

Elle se rappela qu'après le prochain tournant, apparaîtrait devant eux le hameau de Notre-Dame-des-Bois, agrippé à flanc de côteau, prisonnier de sa position comme un alpiniste inexpérimenté, n'osant ni reculer ni avancer, endormi là dans sa sécurité presque séculaire.

— Tu me fais découvrir un beau pays, dit Jean après plusieurs milles de silence.

— Je te l'avais bien dit! Et le plus beau reste à découvrir.

— À quoi pensais-tu depuis le temps que nous ne parlons pas?

— Au passé.

— Et moi aussi, soupira-t-il. Je me demande si nous ne devrions pas le chasser impitoyablement de notre esprit comme une bête malfaisante chaque fois qu'il se montre le bout du nez.

— Pas ce passé-là! Un autre. Un plus beau. Celui du temps de mon enfance quand nous venions vivre trois semaines ici chaque été.

— Raconte...

— Quoi?

— J'sais pas. Des souvenirs. Tiens, j'gage que c'est ici que tu as vécu ton premier amour...

— Comment as-tu deviné?

— Au Québec, c'est toujours en pleine nature et en plein été que le coeur nous saute pour la première fois.

— Ce fut ton cas? questionna-t-elle sur un ton taquin.

— Si tu veux, on parlera de mon passé à notre prochaine randonnée à St-Sauveur. Comment il s'appelait, ton premier petit copain?

— Gilles... Gilles Tellier.

— Il était beau?

— Je suppose que oui. J'ai toujours su les choisir comme ça...

— Tu m'intimides, belle enfant.

— À vrai dire, je pense qu'il n'était pas si beau que ça. Il était tout rouge et plein de taches de rousseur. Mais c'était le seul garçon de mon âge près de chez ma tante. Ma tante, elle vit dans le village maintenant, mais dans ce temps-là, elle restait trois milles plus loin, sur la route de Mégantic.

— Tu avais quel âge?

— Je ne sais pas. Huit ans probablement.

— Vous vous êtes embrassés?

— Es-tu malade?

— Ben quoi? L'amour, c'est l'amour. Du beurre, c'est du beurre.

— Tu dois pourtant savoir que je ne me laisse pas approcher aussi facilement par le premier venu.

— Ça oui!

— T'as rien contre, maintenant?

— Non, non.

Ils se sourirent. Jean savoura ce regard limpide d'où jaillissaient de douces étincelles allumant en lui des réponses grisantes. Ils se prirent la main et le voyage se poursuivit en silence jusqu'au milieu du petit village déjà frissonnant des premiers vents d'automne.

— Tu tournes à ta gauche juste là, fit-elle en indiquant l'entrée d'une route entre deux maisons.

La forme de la géante leur apparut: familière à Mélanie et magnifiquement nouvelle aux yeux de Jean. De ce point de vue, la montagne offre des courbes d'une ultime perfection. En double bleu sur fond bleu. Sa ligne naît imperceptiblement, confondue dans les premiers vagissements de sa jumelle qu'à son tour elle éclipsera de son impostante lancée. Mais auparavant, le profil se dessine avec douceur et tendresse, retient son élan, prépare le ciel à recevoir sa majesté toute royale qui se déploie ensuite dans sa puissance énorme, dans cette force que les hommes ont cru pouvoir apaiser en y érigeant une chapelle où, rapprochés de Dieu, de simples prêtres ont pu pendant longtemps se prendre pour des papes en prêchant sur le péché, en papotant sur la pauvreté et en réclamant la charité en cette époque où la foi était une impérieuse impératrice. Puis c'est un front altier pourfendeur des grands vents du nord que galbe en silence l'horizon docile. Le taillant vif de son versoir trace enfin une courbe vertigineuse qui va s'estomper calmement au pied du colosse dans une plaine servile.

— C'est là-dessus que nous allons grimper?

— Hum, hum. L'observatoire se trouve sur la seconde montagne, tu vois?

À nouveau le silence enrubanna leur cœur pour leur permettre mieux de goûter au grandiose des monts. C'est Jean qui finit par le rompre à quelques milles de là, pas loin du pied de la montagne:

— Y'a des bâtiments de ferme pas mal beaux dans le coin: les cultivateurs ont l'air d'être prospères.

— Mon oncle a souvent dit que la terre était bonne au pied des montagnes... Y'a juste une chose qui me fait de la peine quand je viens ici l'automne: c'est quand je pense que dans quelques semaines, des milliers de chasseurs vont se répandre partout et tuer tout ce qui bouge...

— Tu exagères un petit peu, tout de même! fit Jean d'un ton paternel.

Elle frémit:

— Ah, parlons pas de ça! Je trouve que c'est révoltant.

— Dans quel sens?

— Ben, dans quel sens! Pourquoi cette violence-là? Pour le plaisir sadique de ces messieurs?

— Mélanie, la plupart des bêtes sont appelées à

mourir de manière violente. C'est pas parce que c'est naturel que c'est moins cruel.

— Qu'on les laisse mourir de leur belle mort!

— Belle mort, belle mort!... Finir de maladie en agonisant longtemps c'est pas si beau!

— Voir les bois se faire vider pour le plaisir de quelques chasseurs, ça me soulève le coeur.

— Les gouvernements surveillent beaucoup plus qu'avant. Pourvu que les espèces ne s'éteignent pas: c'est le principal.

— Ahhhhhh! Les hommes ne comprendront jamais ces choses-là.

— Par contre, y'a des choses que les femmes ne comprennent pas non plus...

Elle se fit taquine:

— C'est peut-être pour ça qu'on s'aime?

— Pour ça quoi?

— Parce qu'on se comprend pas...

Il sourit, les yeux plissés par le soleil.

L'auto s'engagea dans les premières pentes de la route en lacet.

— Le chemin n'est pas trop bon, fit Jean en évitant de profondes ornières.

— Ma tante m'a dit qu'il y avait de l'asphalte. Ce sera un peu plus haut, j'imagine.

— Non, mais il fait un de ces temps clairs aujourd'hui!

— On va voir un bon soixante milles à la ronde.

— J'ai bien peur que le soleil va nous dévisager après le tournant de là-bas.

— Ça monte trop: on va le perdre de vue. Et puis il y a les arbres...

— Tiens: je vois le pavage qui commence dans

la courbe. Veux-tu bien me dire par quel hasard ils ont commencé à macadamiser par le haut ?

À demi revêtus de feuillages d'ocre, les ravins commençaient à proposer leurs invites insidieuses et leurs fins fonds se voilaient des regards lointains.

Des feuilles d'or jonchaient la route. Elles s'émiettaient en pépites bruyantes sous le baiser suceur des pneus.

Jean stoppa la Camaro sur une corniche artificielle aménagée à mi-chemin par les constructeurs de la route. Il fallait que leurs yeux reprennent leur souffle pour se gorger à nouveau de couleurs et d'espace. Malgré que de ce point de vue, seul le sud-est soit accessible, si ce n'est un étroit couloir entre les deux promontoires vers le nord, dans toutes les autres directions, le regard reste prisonnier du mont Mégantic lui-même ainsi que de son imposante jumelle.

Mais quelle évasion vers le sud-est ! C'est tout d'abord le val de Notre-Dame-des-Bois avec ses côteaux écarlates et ces taches chauves empreintes de la main de l'homme. Puis les bruns imprécis et la grisaille vague de la région frontalière. Enfin, au loin, se dessine le bleu matelas des montagnes américaines.

L'air est limpide, la lumière pure, les amoureux heureux.

Jean ouvre les bras. Mélanie s'y blottit. Le temps d'une pause. D'un baiser furtif. Et c'est à nouveau la route. Cette fois, vers le sommet.

Fier de son éclat bien que d'une ardeur timorée, le soleil frais se mirait prétentieusement dans l'aluminium poli du dôme qui ne tolérerait pas encore pendant un bon bout de temps de se laisser épier depuis le stationnement où Jean avait garé la Camaro.

Mélanie eut beau mettre sa main sur son front en guise de pare-soleil, elle ne parvint pas à voir ce qu'elle voulait. Éblouie, elle dut tourner la tête et elle jeta son regard vers la montagne St-Joseph qui avait perdu son air imposant.

Jean s'approcha de sa compagne, lui enveloppa les épaules de son bras ferme. Ils regardèrent dans la même direction.

— Tu aimerais mieux être là-bas? demanda-t-il doucement.

— Oh non! Je suis trop bien ici pour désirer être ailleurs, répondit-elle sur le même ton.

— Même pas pour retrouver de vieux souvenirs?

Elle pencha la tête sur l'épaule de son compagnon et dit sans timbre sonore mais avec force:

— Je suis amoureuse.

— Et moi aussi.

— Et puis j'ai faim.

— On se met à table?

— Tout de suite.

Avec des couvertures et une boîte de provisions, ils se rendirent au point boisé le plus élevé et duquel ils pourraient avoir une bonne vue des deux versants de la montagne.

Ils pique-niquèrent après quoi Jean fit un voyage aller-retour à l'auto afin d'y laisser tout ce dont ils n'avaient plus besoin. Il retourna auprès de Mélanie et s'allongea à côté d'elle sur une couverture. Comme il y avait parfois des petits coups de vent frisquets, ils « s'abrillèrent » de l'autre courtepointe et se réfugièrent dans les bras l'un de l'autre. Ils restèrent ainsi longtemps dans un silence total.

Ce sont des larmes brûlantes coulant dans son cou qui ramenèrent Jean à la réalité. Mélanie pleurait encore. Elle l'avait fait plusieurs fois par jour à chaque journée que le bon Dieu avait amenée depuis la Saint-Jean.

Il la serra plus fort contre sa poitrine, mais il ne parla point. C'est elle qui finit par dire :

— Quand est-ce que j'atteindrai le fond de ma réserve de sanglots ?

— Ça viendra, ça viendra ! Les pires choses s'effacent, s'oublient, soupira-t-il. Au début, je faisais des cauchemars presque toutes les nuits ; maintenant j'ai retrouvé le sommeil. Ça va passer... Après tout, faut bien se le dire : ils ne sont que morts. Je te jure que Guy est quelque part en train de donner une chance à quelqu'un, que Manon compose une chanson et que Linda berce un bébé. Les rêves, la bonté, le bien, ça ne meurt jamais. Autrement... Autrement nous ne serious pas là. Nous n'existerions même pas.

— Ce n'est pas sur eux que je pleure, c'est sur moi... C'est d'avoir découvert tant d'inutilités dans la vie. C'est de me sentir une enfant qui ne sait rien, qui ne comprend rien. C'est de ne pas pouvoir expliquer ce qui s'est passé. C'est de ne pas saisir pourquoi le monde est ainsi fait. C'est de me sentir seule dans le noir...

— Et moi, qu'est-ce que je fais là-dedans ? Je ne suis pas là ?

— Oh si, tu es là ! Tu y es, tu y es. C'est tout ça qui a fait que tu es devenu si important dans ma vie... Tu sais ce que j'ai envie de penser ? J'ai l'impression que nous avons vieilli avant l'âge à cause des événements... Comme si nous avions perdu brutalement notre jeunesse. Je pense que c'est un peu ça que ma mère a vécu quand Elvis est mort. Elle a pleuré et je ne comprenais pas pourquoi. Probablement qu'elle se rendait compte à quel point elle avait vieilli et comme sa jeunesse lui avait filé entre les doigts. Mais pour nous, c'est bien pire: ce même coup de vieux, on l'a pris dans l'espace de quelques heures. Tous ces amis qu'on a perdus, cette joie de vivre disparue, ce goût de se battre qui s'est envolé... On dirait que mon âme a envie de prendre sa retraite.

— Mais il y a l'amour qui nous sauve, tu ne crois pas?

— Oui, c'est toujours l'amour qui vient nous sauver, dit-on. Et c'est vrai parce que sans toi, je ne sais pas ce que je serais devenue.

— Il y aurait eu autre chose... Ou quelqu'un d'autre. C'est en soi qu'est le bonheur, pas dans les événements.

— Tu vois ce que je disais: il faut être vieux pour philosopher ainsi.

— En ce cas, j'aime bien être vieux.

Un chuintement dans les feuilles sèches vint chercher leur attention. C'était un écureuil roux qui, la queue nerveuse, effrayé de son propre bruit se réfugia dans un bouleau silencieux. Son charme délicieux assécha les larmes de Mélanie et entraîna les amants dans une leçon de botanique qu'ils se donnèrent mutuellement par le biais d'une pédagogie aussi houleuse que joyeuse.

La brunante envahit rapidement les crêtes douces des montagnes en même temps que s'allumaient en haut les étoiles et en bas, aux quatre coins de l'horizon, les villages.

— On retourne à l'auto? Ils vont commencer à

donner les résultats du référendum, suggéra-t-il. Et puis on va se réchauffer un peu. Tu n'as pas froid, toi?

— Je te l'avais bien dit de t'habiller chaudement, mais tu n'as pas voulu m'écouter, taquina-t-elle.

Il réprima mal un sourire frissonnant et entraîna Mélanie vers la Camaro dans laquelle ils se réfugièrent à nouveau sous les couvertures évitant ainsi de faire tourner le moteur.

Leurs cajoleries durèrent un temps qu'ils ne virent pas passer, mais qui permit à tous leurs horizons de s'estomper tout à fait.

Soudain il sursauta joyeusement et, en tournant la clef de contact, dit:

— Et nous qui voulions entendre les résultats!

— Nous sommes maintenant en mesure d'annoncer le résultat final du référendum dont le dernier tour de scrutin avait lieu aujourd'hui à travers la province. En effet, puisque le décompte du tiers des votes est déjà fait, les extrapolations faites par ordinateur permettent de déclarer que...

La voix de l'annonceur mourut. Mélanie avait coupé le contact.

— Ben voyons, tu ne veux pas savoir ce qui s'est passé? demanda Jean l'air hébété.

— On saura bien demain.

La lueur discrète d'un réverbère venait allumer des points argentés dans le bleu miroir des yeux de Mélanie. La nuit elle-même ne parvenait pas à éteindre leur éclat.

Un souffle de vent agita les arbres. Quelque part, une feuille se détacha, roula sur les vagues d'air frais et vint se déposer doucement sur le parebrise de l'auto devant le regard ravi de la jeune fille.

— Je vais la prendre, fit-elle en ouvrant la portière.

Jean fit de la lumière et dit quand elle eut ramené la feuille chaudement carminée et remplie de nervures harmonieuses :

— Je ne croyais pas que les érables se déshabillaient de si bonne heure par ici.

— Ici, les choses sont plus lentes ou plus rapides : c'est selon, comme dirait mon grand-père.

— Elle est belle...

— Je vais m'en servir comme signet dans un de mes livres.

Elle fit rouler le pédoncule entre ses doigts et le végétal tournoya dans une trajectoire excentrique.

— Ne la bouscule pas : elle va se briser, protesta Jean en saisissant le poignet de Mélanie.

— Pas de danger ! Elle est morte, mais elle reste solide.

— Il est temps d'aller voir le ciel, fit Jean en consultant sa montre. L'observation commence à vingt heures et les visiteurs arrivent déjà. On y va ?

Ils descendirent et marchèrent lentement en respirant la fraîcheur du soir.

Là-haut, la voûte céleste parsemée d'étoiles s'offrait toute entière...

ANDRÉ MATHIEU

DEMAIN TU VERRAS

roman

ÉDITIONS ANDRÉ MATHIEU

DEMAIN TU VERRAS

DEMAIN TU VERRAS, c'est le roman du couple adulte.

C'est un récit audacieux, bouleversant de réalisme, qui pose avec une justesse inégalée le problème de la survie du couple romantique tout entier replié sur lui-même.

Avec une remarquable franchise et sans indulgence, l'auteur nous y entraîne, au rythme des prises de conscience et des drames qui jalonnent le cheminement intime d'Alain Martel, dans une saga du quotidien, dans une authentique passion de vivre qui s'échelonne sur une période de 20 ans.

DEMAIN TU VERRAS est un récit piquant, sensuel, choquant, qui va au coeur des tiraillements intérieurs d'un homme et d'une femme dans la trentaine, les prévoit, les provoque, les analyse.

A travers l'adolescent (1958) bourré de principes, le jeune homme (1960) aux passions éphémères, le mari traqué (1967), l'amant déçu (1973), l'on découvre dans le personnage central un être attachant de sincérité, émouvant dans sa recherche fébrile d'une liberté à sa mesure.

DANS CE ROMAN-CHOC, L'HOMME A LE BEAU RÔLE... pour un temps seulement.
Sa femme lui rendra la monnaie de sa pièce. A son tour, il connaîtra le doute oppressant, la jalousie, la tromperie, la souffrance.

A bout de déchirements et d'expériences douloureuses, le couple se verra contraint de sombrer ou... de se redéfinir face à des réalités nouvelles.

andré mathieu
Un
Amour Eternel
roman
Éditions André Mathieu

Un Amour Éternel

UN AMOUR ÉTERNEL retrace l'inavoué et l'inavouable d'une époque charnière riche en émotions, prodigue de situations aussi simples que suaves.

Entourée de sa mère qui est servante de curé, et de l'abbé Ennis, un homme bienveillant, Esther vit heureuse dans son univers du coeur du village dont les balises sont l'église, la salle publique, le couvent et sa maison: le presbytère.

Arrive un nouveau vicaire qui va bouleverser sa vie et faire naître en chacun d'eux un sentiment sublime que leur présence sous un même toit rendra parfois dangereux pour leur salut.

C'est sur cette toile de fond brûlante qu'est racontée l'année sainte (1950) dans la vie de ce prêtre sans cesse confronté avec la mort omniprésente et la vie qui palpite en lui et dans l'âme de la jeune maîtresse d'école.

De la veillée au corps à la messe de minuit, en passant par les «petites vues», l'arrivée d'un Français de passage, une vente à l'encan et combien d'autres incidents du quotidien, UN AMOUR ÉTERNEL, c'est un retour dans le temps chantourné par l'auteur au fil de ses souvenirs.

Ce roman forme avec DEMAIN TU VERRAS et COMPLOT une véritable trilogie qui révèle au grand jour bien des fibres secrètes des Québécois. Pourtant, dans cet ouvrage, André Mathieu tire sur certains masques avec plus de pudeur que dans les précédents. N'y éclate pas moins parfois le chauvinisme paroissial. Mais finissent par triompher l'amour, la générosité, le courage et la bonté de personnages riches et souvent authentiques.

Chérie
roman
andré mathieu

CHÉRIE

Ce livre raconte l'histoire de deux soeurs: la mystérieuse, l'insondable Lina surnommée Chérie, infirmière angoissée, et Annie, la malléable enseignante.

Bien que liées par une affection généreuse, elles en arriveront contre leur gré à se déchirer jusqu'au drame pour l'amour d'un homme qui impose aux autres son échelle de valeurs et qui, dans une inconscience paisible étouffe lentement la tranquille vie familiale qui aurait pu être la sienne.

C'est alors que Mélanie et Isabelle, d'exquises petites filles quémandeuses d'affection deviendront les jouets de circonstances particulièrement dramatiques.

Emaillé d'une tendresse aux accents pathétiques, CHÉRIE darde le coeur et fait souvent pleurer...

L'auteur de DEMAIN TU VERRAS, COMPLOT, UN AMOUR ÉTERNEL, propose ici un ouvrage qui laisse au lecteur un grande soif de compréhension humaine car, avec une rare profondeur, il analyse l'âme tourmentée de certaines femmes de notre temps...

Nathalie

En cette soirée du 22 décembre, Nathalie Tremblay, une séduisante adolescente se pendit dans le sous-sol de la demeure familiale.

Elle avait quatorze ans et deux mois.

Ce roman retrace la vie émotionnelle de Nathalie à partir de son journal, de ses poèmes et de lettres qu'elle écrivit à ses amies et à un professeur qu'elle aimait.

Nathalie Tremblay a réellement vécu (sous un autre nom). Elle a beaucoup écrit et l'a fait merveilleusement. Par la plume de l'auteur, vous partagerez sa solitude, sa désespérance mais aussi sa tendresse.

De plus, ce roman biographique braque l'objectif sur une terrifiante épidémie qui frappe l'Amérique d'aujourd'hui: le suicide chez les adolescents. Il le fait mieux comprendre et dilue tout au long des chapitres des moyens de le prévenir.

Enfin, ce livre aide à saisir cette intense soif d'amour et de compréhension humaine qui remue au fond du coeur des jeunes.

Nathalie, c'est un peu chaque adolescente. Donc ce roman, c'est aussi le vôtre... ou celui de votre enfant... ou de quelqu'un que vous connaissez bien.

Note de l'auteur

Des remerciements sincères pour leur aide technique aux personnes dont les noms suivent:

— Dolorès Hébert,

— Yvon Perron,

— Messieurs Beakes et Lachapelle de la Société Canadair.

Éditions André Mathieu Inc.
75, Claudel
Boisbriand, Qué.
J7G 1K1

6403